Write the missing numbers.

21	22				26	27			30
	32	33					38		
41	42					47	48		
		53	54					59	60
			64	65			68		
71					76	77			
	82	83	84					89	
		93		95			98		

Colour red the number

| after 31 | after 84 | after 50 | after 99 |

Colour blue the number

| before 27 | before 100 | before 69 | before 41 |

Colour green the number

| between 43 and 45 | between 59 and 61 |

Colour yellow all the numbers

| between 56 and 60 | between 88 and 93 |

Numbers to 100: sequences

Write the number after

Write the number before

Write the number between

   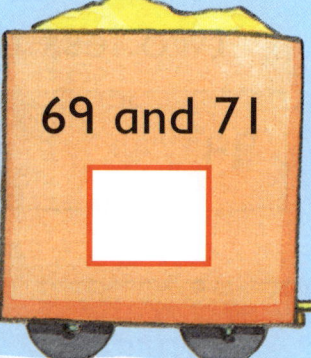

22 and 24   96 and 98   80 and 82   69 and 71

Write the missing numbers.

24	25	26							
							63	64	65
			71	72	73				
		94	95	96					

Numbers to 100: after, before, between

3

Write the number

one more than

| 25 | | 40 | | 37 | | 49 | |

two more than

| 72 | | 53 | | 89 | | 98 | |

one less than

| 81 | | 44 | | 32 | | 100 | |

two less than

| 99 | | 72 | | 50 | | 61 | |

Match.

1 less than 40   2 more than 29   2 less than 91

31   39   89   98   100

1 more than 88   2 less than 100   2 more than 98

Numbers to 100: 1 or 2 more/less   HOME ACTIVITY 12

How many?

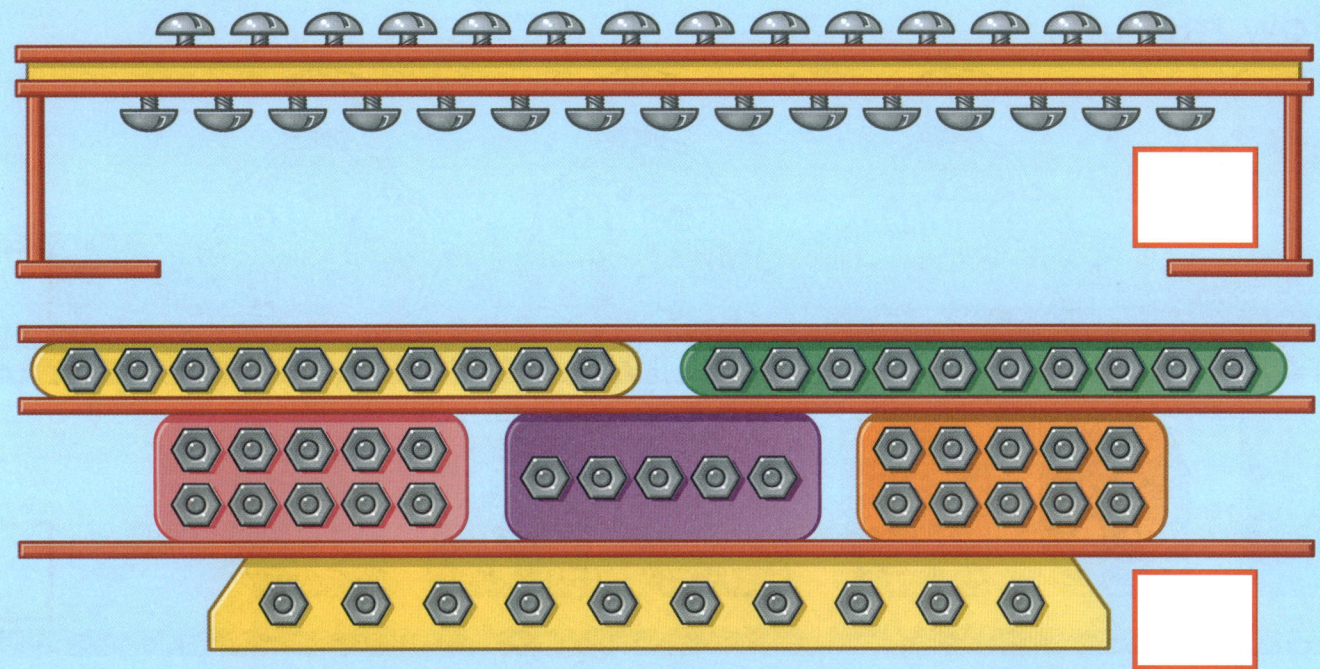

Draw 33 🔩.

Make 46.

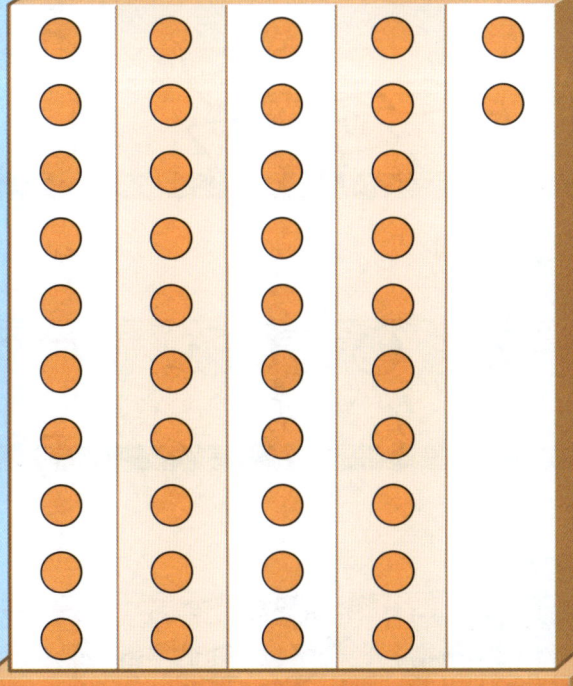

Make 54.

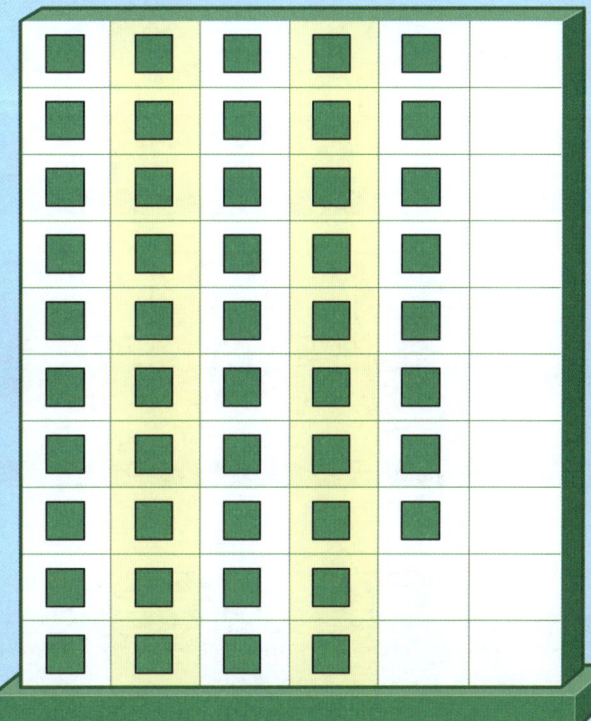

Numbers to 100: counting in ones

5

How many?

Numbers to 100: counting in tens

How much altogether?

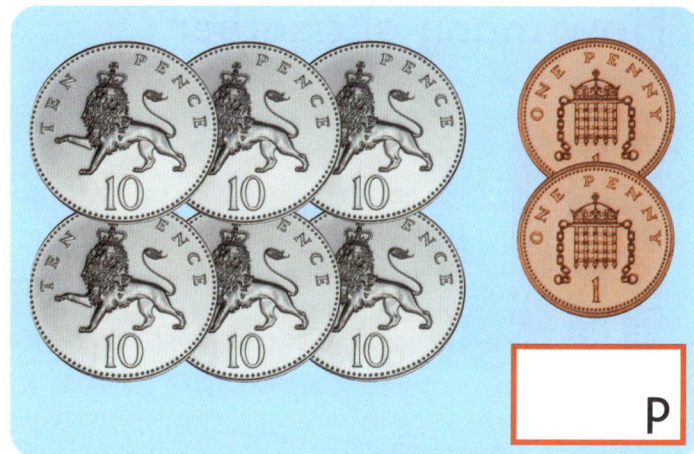

Use 10p and 1p coins. Complete.

 68p

60p and 8p

 44p

___ and ___

 16p

___ and ___

 27p

___ and ___

 82p

___

 55p

___

 71p

___

 38p

___

Numbers to 100: place value

7

How many altogether?

  ☐     ☐

   ☐   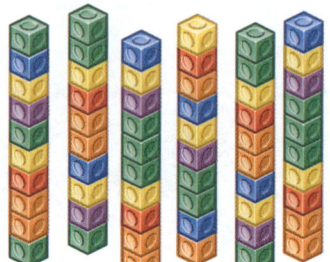   ☐

  forty-nine

49 = 40 + 9

25 = +	58 = +	74 = +
86 = +	23 = +	41 = +
33 = +	72 = +	97 = +

Colour to match.

| 80 and 4 | 62 | 46 | 60 + 2 |
| 99 | 40 and 6 | 90 + 9 | 84 |

Numbers to 100: place value

31	32	33	34	35	36	37	38	39	40
41	42	43	44	45	46	47	48	49	50
51	52	53	54	55	56	57	58	59	60
61	62	63	64	65	66	67	68	69	70

Colour red 10 more than

35   58   44   60   36   53   47   51

Colour yellow 10 less than

65   42   48   57   43   66   54   49

Complete.

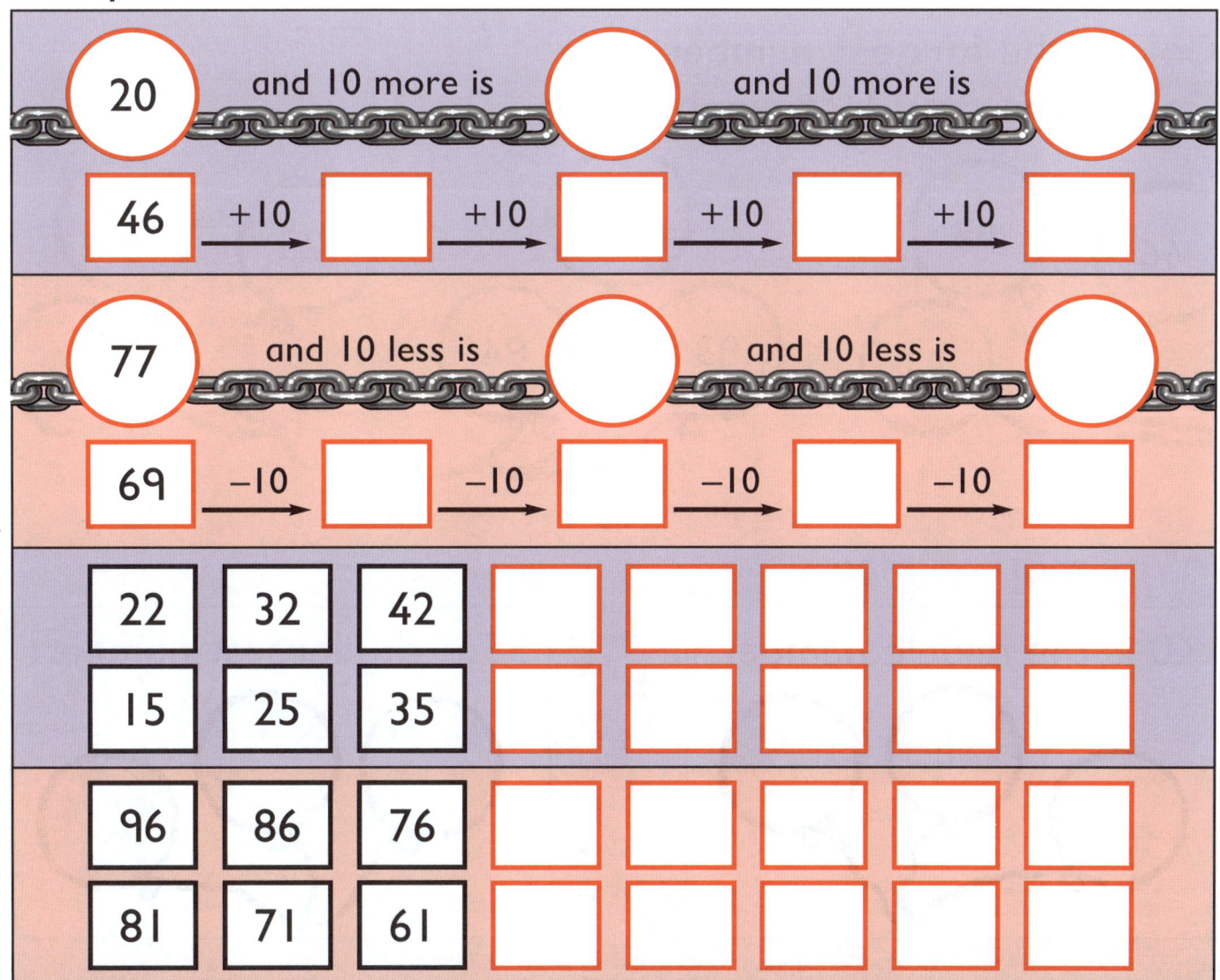

Numbers to 100: 10 more/less

Colour the **larger** number red.

| 36 | 72 | | 63 | 47 | | 91 | 93 |

Colour the **smaller** number blue.

| 23 | 45 | | 81 | 69 | | 76 | 75 |

Use 6 and 5. Write a number

larger than 60 _____   **smaller** than 60. _____

Colour the **largest** number red.
Colour the **smallest** number blue.

46   62   54

78   93   84

23   21   24

Write more numbers.

40 is the middle number.

55 is the largest number.

Write in order.

Write in order.

Start with the largest number.

Start with the smallest number.

The largest number is 10 more than 65.

The smallest number is 10 less that 50.

Choose a number for each empty box.

Write the missing numbers.

Count in twos. How many children? _____

12

Colour even numbers 🟧.

1	2	3	4	5
6	7	8	9	10
11	12	13	14	15
16	17	18	19	20
21	22	23	24	25
26	27	28	29	30

Colour odd numbers 🟦.

9	10	11	12
13	14	15	16
17	18	19	20
21	22	23	24
25	26	27	28
29	30	31	32

Write the missing numbers.

4   6   8   ___   14   ___

7   9   11   ___   ___   ___

18   16   14   ___   10   ___

29   27   25   ___   ___   ___

Circle the odd numbers.

(35)   22   25   13

7   18   29   36   41

Numbers to 100: odd and even

Count in threes. Colour.

| 0 | 1 | 2 | 3 | 4 | 5 | 6 | 7 | 8 | 9 | 10 |

| | | | | | | | | | | 11 |

| 22 | 21 | 20 | 19 | 18 | 17 | 16 | 15 | 14 | 13 | 12 |

| 23 |

| 24 | 25 | 26 | 27 | 28 | 29 | 30 | 31 | 32 | 33 |

Count in fours. Colour.

0	1	2	3	4	5	6	7	8	9
10	11	12	13	14	15	16	17	18	19
20	21	22	23	24	25	26	27	28	29
30	31	32	33	34	35	36	37	38	39

Write the missing numbers.

0   5   10   ___   ___

25   30   35   ___   ___

3   6   9   ___   ___

0   4   8   ___   16   ___

21   18   15   12   ___   ___

28   24   20   ___   ___

How many?

Numbers to 100: counting in threes, fours and fives

Write the **even** numbers between

Write **two** numbers between

Write numbers between

Write the number halfway between

10 and 20 → ☐

19 and 23 → ☐

26 and 34 → ☐

31 and 37 → ☐

Numbers to 100: numbers between

15

Estimate the numbers.

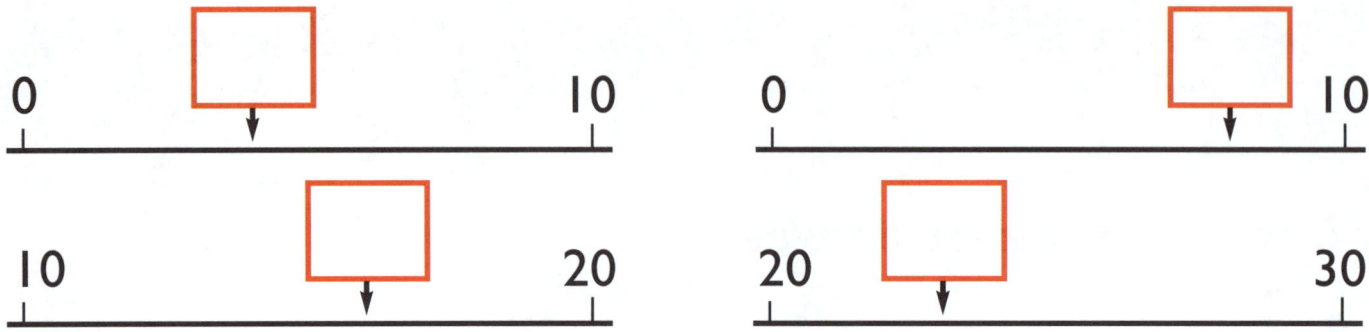

Write numbers on the 🛸.

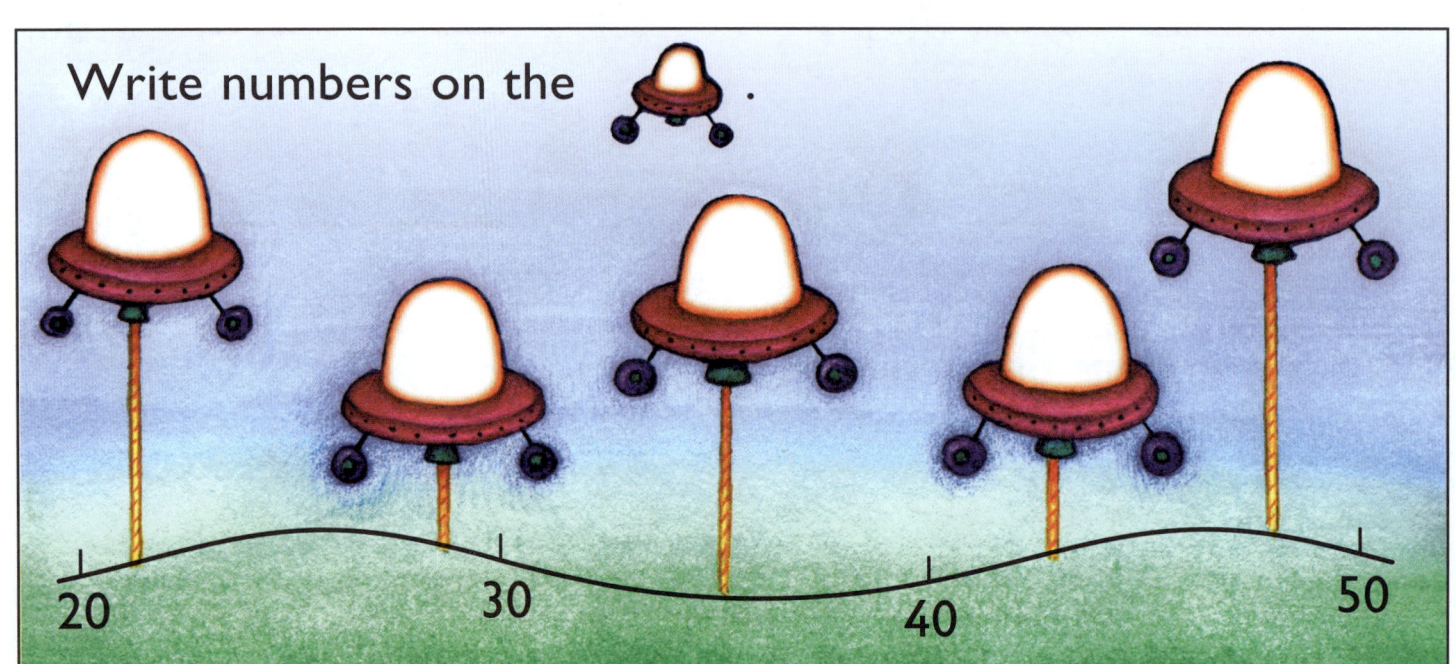

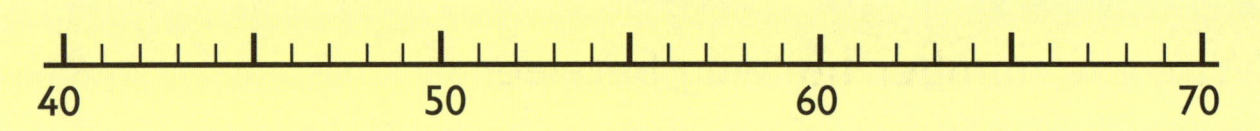

Write to the nearest ten:

53 → ☐   57 → ☐   44 → ☐

66 → ☐   48 → ☐   62 → ☐

49p   91p   36p

☐ P   ☐ P   ☐ P

Numbers to 100: estimating and rounding

1 Write the missing numbers.

41	42	43							50
			54	55			58	59	
		63			66	67			

2 Write the number

after 89 ☐   before 30 ☐

between 73 and 75 ☐   1 more than 25 ☐

2 more than 39 ☐   2 less than 100 ☐

3 How much altogether? ☐ p

 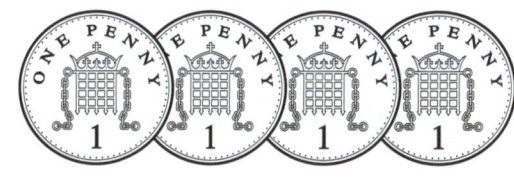

64 = 60 +   38 =   +   52 =   +

4 Complete.

10 more than 74 ☐   10 less than 46 ☐

23 — 33 — 43 — ☐ — ☐ — ☐

97 — 87 — 77 — ☐ — ☐ — ☐

Numbers to 100: assessment

1 Tick (✓)

the **larger** number   the **smaller** number   the **largest** number

◯ 85   ◯ 58   ◯ 76   ◯ 67   ◯ 79   ◯ 90   ◯ 82

2 Write the numbers in order.

Start with the **smallest**.
66   51   59   63

___ ___ ___ ___

Start with the **largest**.
77   80   84   78

___ ___ ___ ___

3 Write the missing numbers.

3   6   9   ___   ___   ___   21   ___

0   4   8   ___   ___   20   ___   ___

35   30   25   ___   ___   ___   5   ___

Tick (✓) the **even** numbers.

36   5   18   44   27   2

4 Write the number **halfway** between

18 and 24 ⟶ ☐   18   19   20   21   22   23   24

5 30   40   50   60

Write to the nearest ten.

38 ⟶ ☐   52 ⟶ ☐

Complete.

97 98 99 ___ ___ ___ ___

700 701 702 ___ ___ ___ ___

346 347 ___ 349 ___ ___ ___

595 596 597 ___ ___ ___ ___

105 104 103 ___ ___ ___ ___

474 473 ___ 471 ___ ___ ___

800 ___ ___ 797 796 ___ ___

513 512 511 ___ ___ ___ ___

Write the number

after 222 after 300 after 109 after 199

before 306 before 440 before 501 before 900

between 639 and 641   between 299 and 301

Numbers to 1000: sequences

19

Complete.

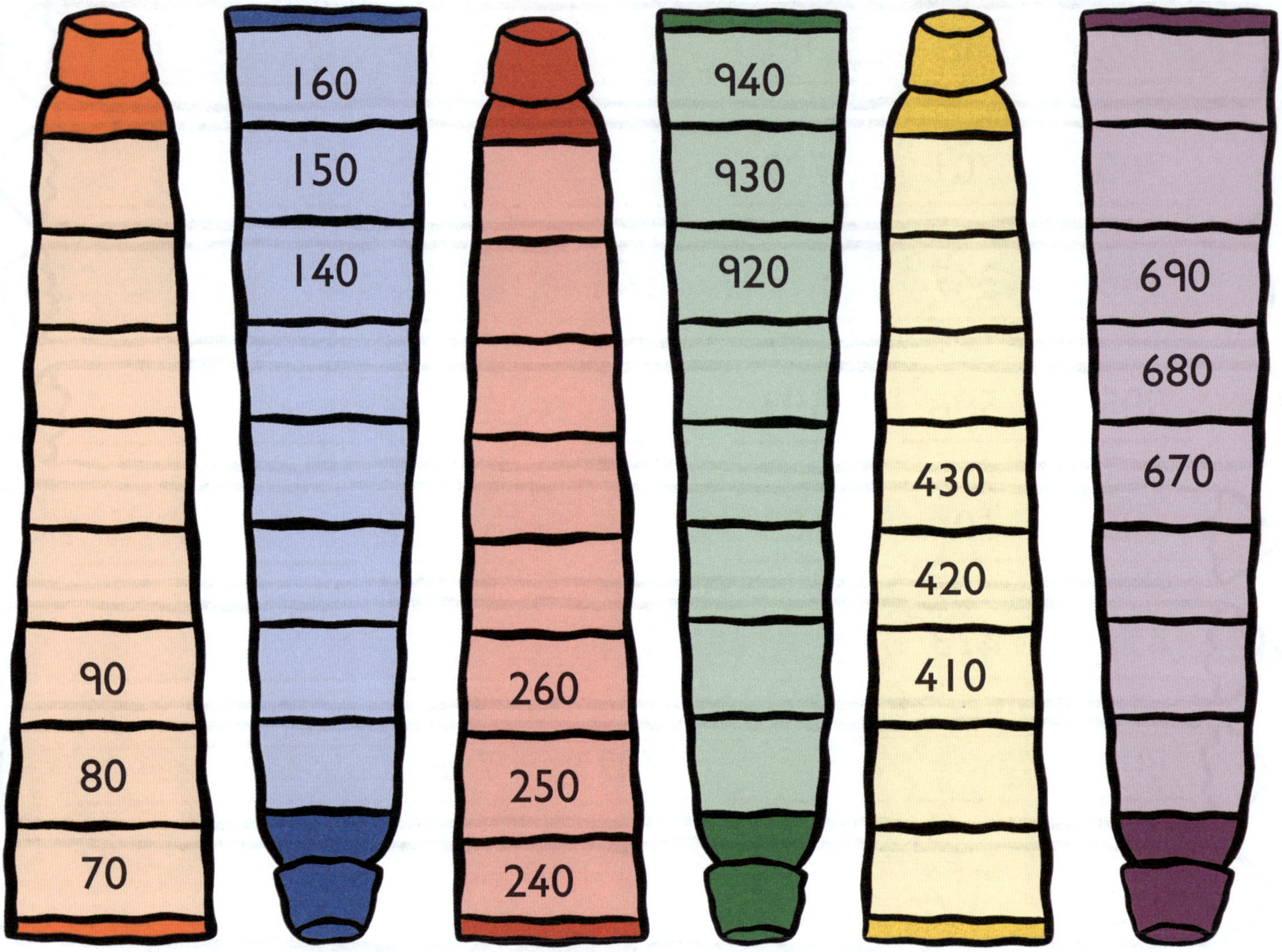

	160		940		
	150		930		
	140		920		690
					680
				430	670
				420	
90		260		410	
80		250			
70		240			

Write the number ten **more** than

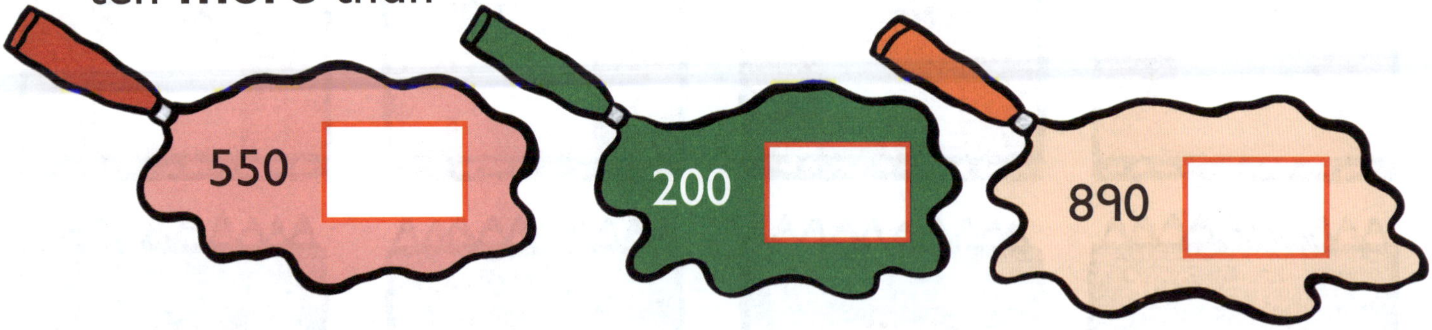

550 ☐   200 ☐   890 ☐

ten **less** than

220 ☐   910 ☐   400 ☐

Numbers to 1000: sequences

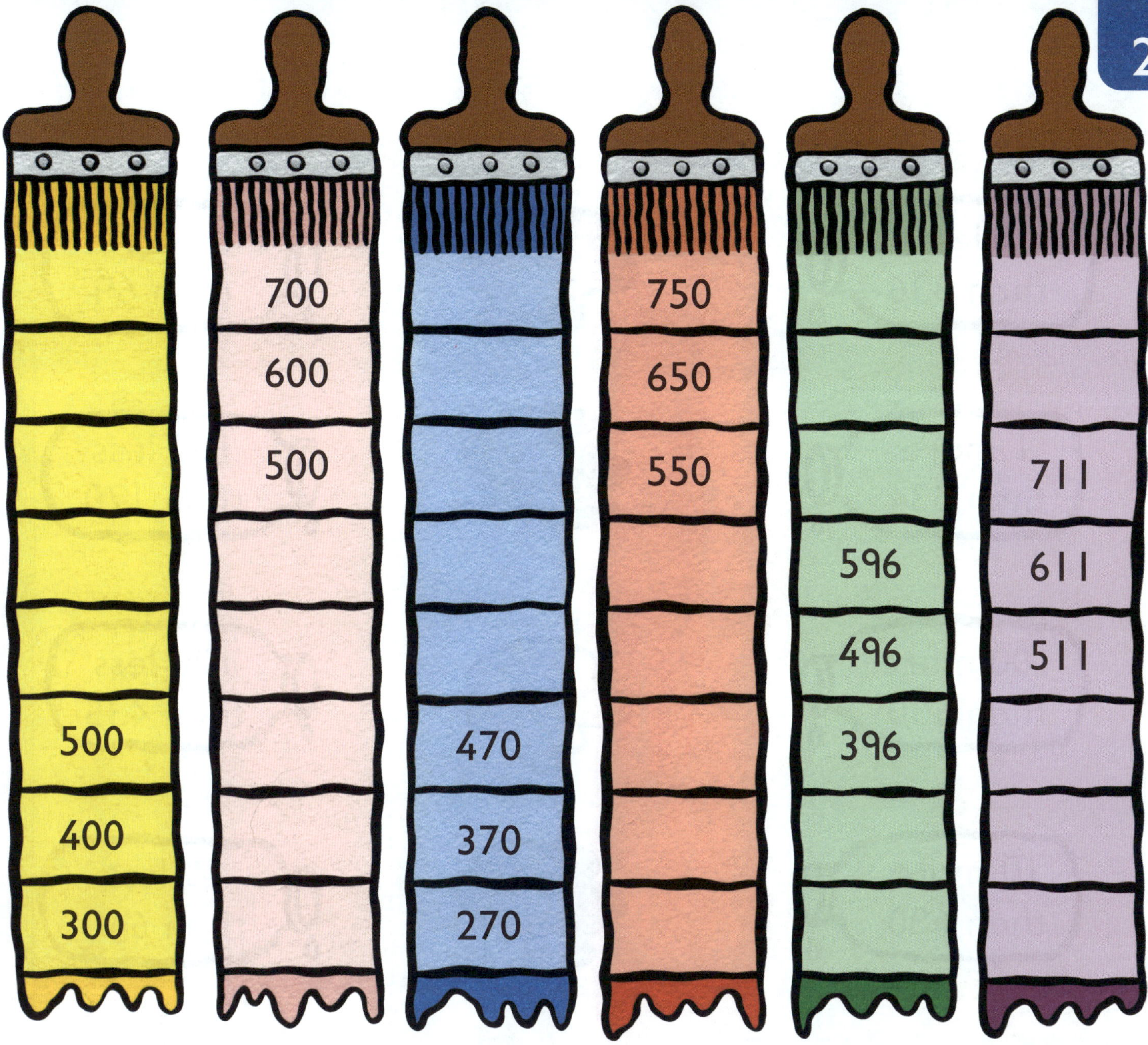

20

	700		750		
	600		650		711
	500		550		611
				596	511
				496	
500		470		396	
400		370			
300		270			

Write the number

one hundred **more** than

202 ☐   630 ☐   900 ☐

one hundred **less** than

444 ☐   220 ☐   1000 ☐

Numbers to 1000: sequences

Colour to match.

- 1 less than 336
- 1 more than 334
- 100 more than 530
- 10 more than 690

- 335
- 70
- 700
- 630

- 1 more than 69
- 100 less than 170
- 100 less than 435
- 10 less than 640

Match.

420   550   576

400   500   600

Numbers to 1000: ordering

Colour the **smaller** number red.
Colour the **larger** number green.

Use ⬜5 ⬜4 ⬜6 . Write a number

larger than 600 _____   **smaller** than 460. _____

Colour the **smallest** number red.
Colour the **largest** number green.

Who has the **largest** number? _____

Who has the **smallest** number? _____

Numbers to 1000: comparing

Write the numbers in order.

Start with the **smallest**.

267 189 345 263

_____

Start with the **largest**.

694 839 793 849

_____

Use 5 8 2 to make different 3-digit numbers.

_____

Write your numbers in order. Start with the **smallest**.

_____

Write **two** numbers between

740 _____ _____ 760

305 _____ _____ 315

0 100 200 300 400 500 600 700 800 900 1000

Write the number halfway between

300 and 400 ☐   100 and 200 ☐   600 and 700 ☐

900 and 1000 ☐   450 and 550 ☐   850 and 950 ☐

Numbers to 1000: ordering

Heinemann is an imprint of Pearson Education Limited, a company incorporated in England and Wales, having its registered office at Edinburgh Gate, Harlow, Essex, CM20 2JE.
Registered company number: 872828
Photos of coins and notes © Pearson Education 2018, used under Crown Copyright.
ISBN 978 0435 16973 2 © Scottish Primary Mathematics Group 1999.
First published 1999.   25 37
Designed and illustrated by Gecko Ltd. Printed in Great Britain by Bell & Bain Ltd, Glasgow

1

Write the missing numbers.

21	22				26	27			30
	32	33					38		
41	42					47	48		
		53	54					59	60
			64	65			68		
71					76	77			
	82	83	84					89	
		93		95			98		

Colour red the number

| after 31 | after 84 | after 50 | after 99 |

Colour blue the number

| before 27 | before 100 | before 69 | before 41 |

Colour green the number

| between 43 and 45 | between 59 and 61 |

Colour yellow all the numbers

| between 56 and 60 | between 88 and 93 |

Numbers to 100: sequences

Write the number after

Write the number before

Write the number between

 22 and 24

96 and 98

 80 and 82

 69 and 71

Write the missing numbers.

24	25	26						
						63	64	65
			71	72	73			
			94	95	96			

Numbers to 100: after, before, between

3

Write the number

one more than

| 25 | | 40 | | 37 | | 49 | |

two more than

| 72 | | 53 | | 89 | | 98 | |

one less than

| 81 | | 44 | | 32 | | 100 | |

two less than

| 99 | | 72 | | 50 | | 61 | |

Match.

1 less than 40   2 more than 29   2 less than 91

31   39   89   98   100

1 more than 88   2 less than 100   2 more than 98

Numbers to 100: 1 or 2 more/less

HOME ACTIVITY 12

How many?

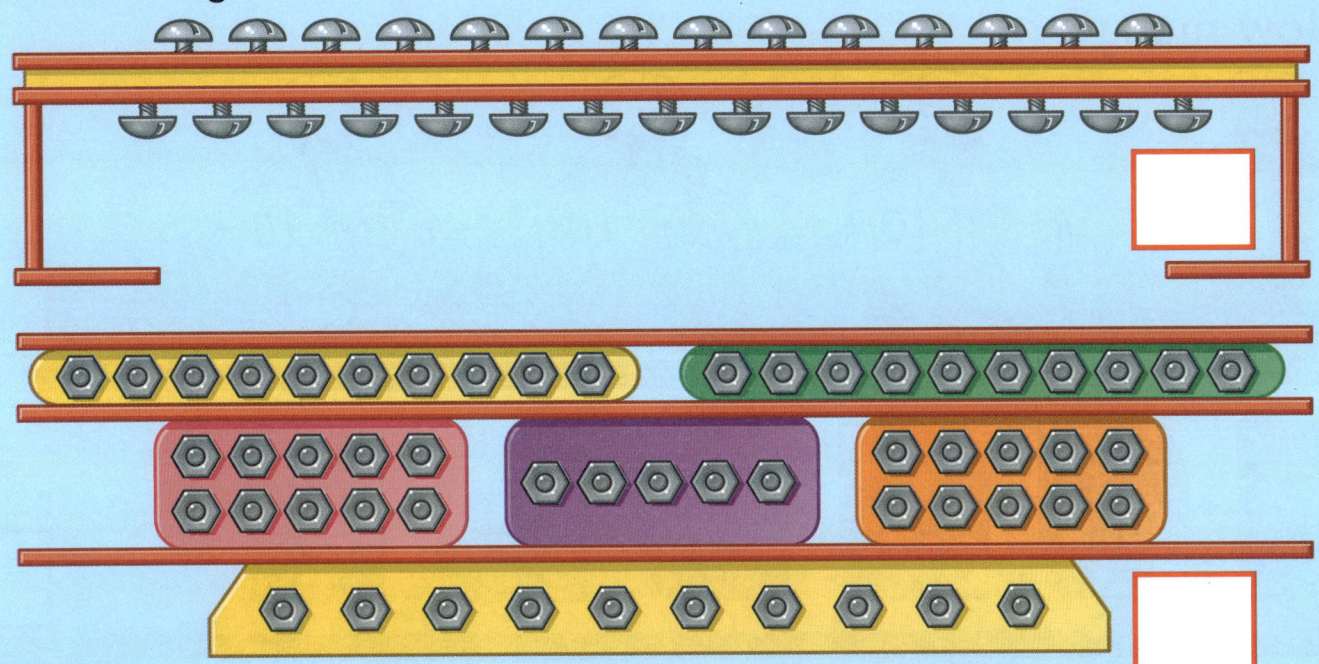

Draw 33 🔩.

Make 46.

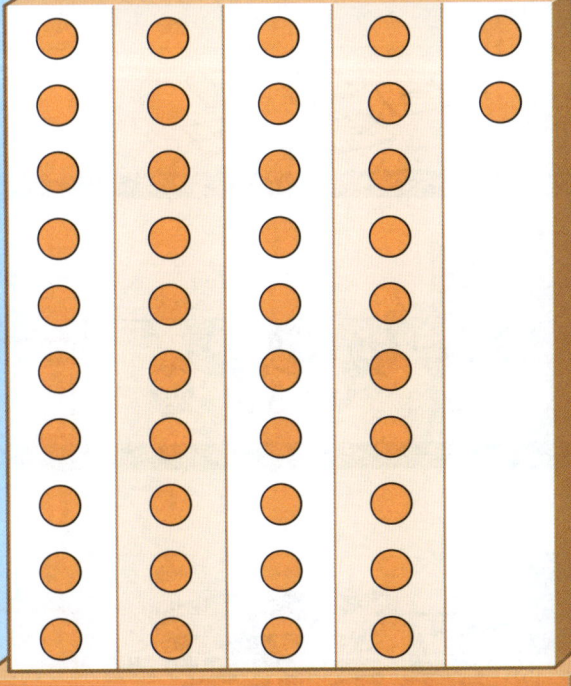

Make 54.

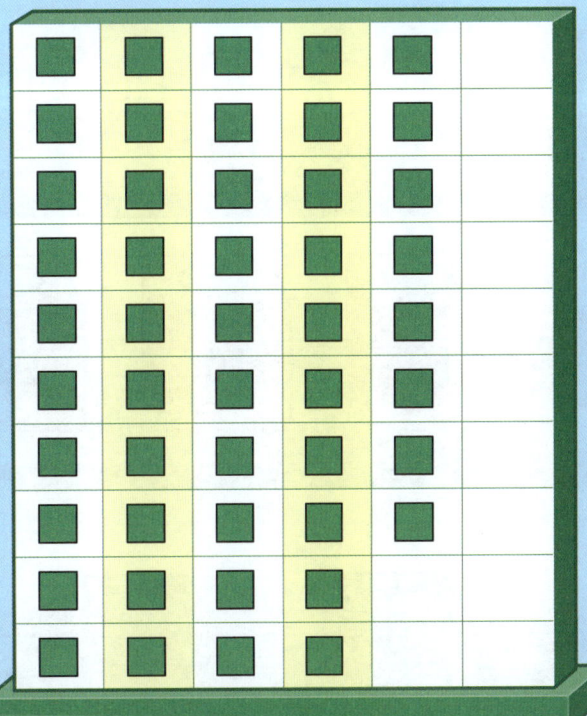

Numbers to 100: counting in ones

How much altogether?

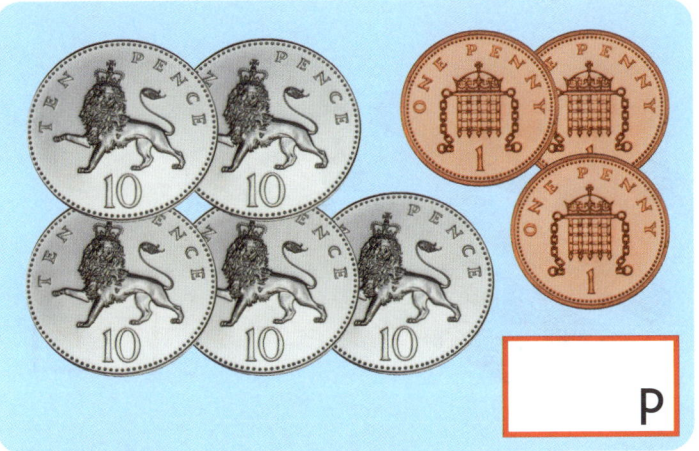

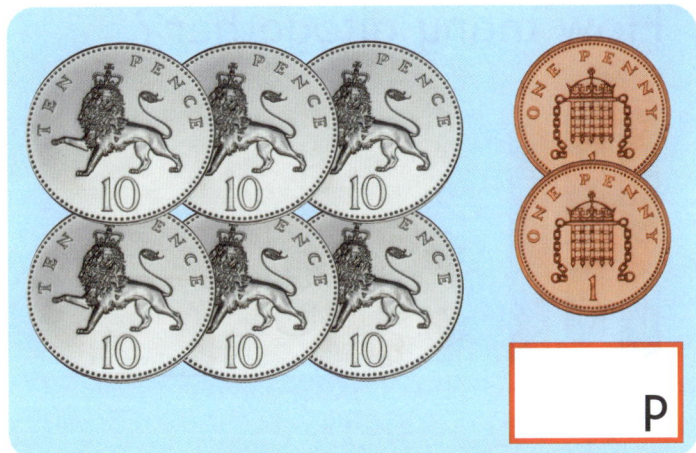

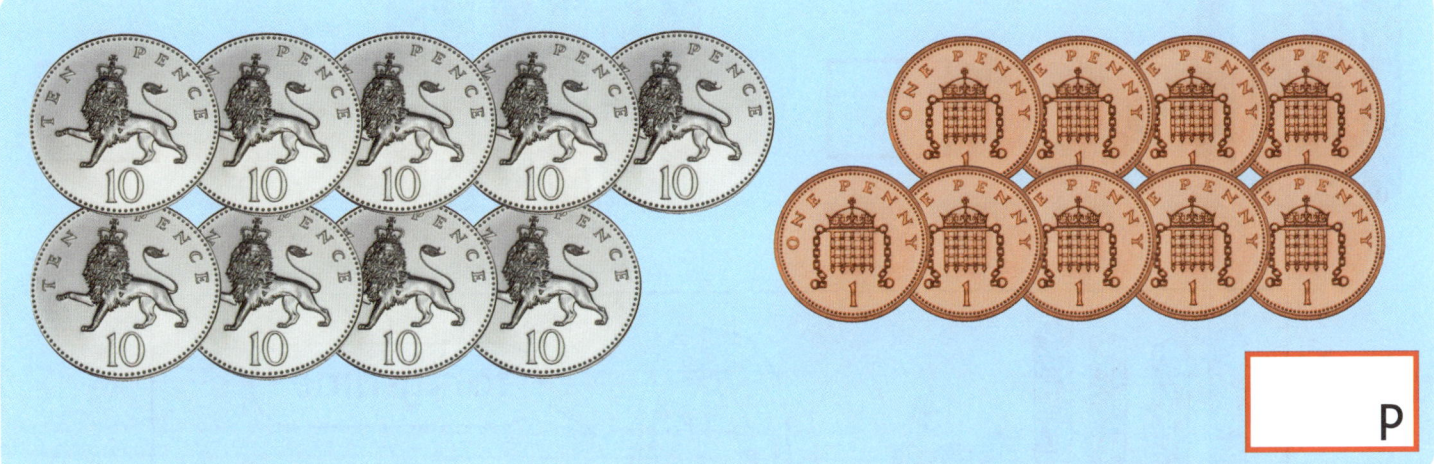

Use 10p and 1p coins. Complete.

60p and 8p

and

and

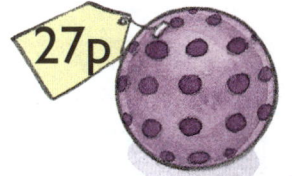

and

Numbers to 100: place value

7

How many altogether?

 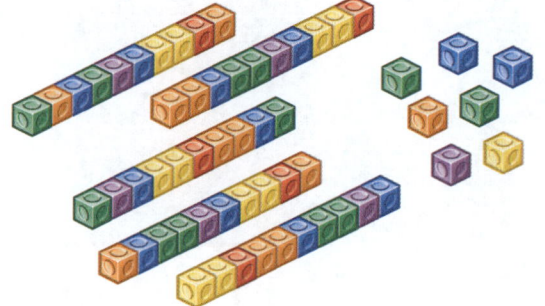 

forty-nine

49 = 40 + 9

25 = ☐ + ☐	58 = ☐ + ☐	74 = ☐ + ☐
86 = ☐ + ☐	23 = ☐ + ☐	41 = ☐ + ☐
33 = ☐ + ☐	72 = ☐ + ☐	97 = ☐ + ☐

Colour to match.

| 80 and 4 | 62 | 46 | 60 + 2 |
| 99 | 40 and 6 | 90 + 9 | 84 |

Numbers to 100: place value — CHECK-UP 7

31	32	33	34	35	36	37	38	39	40
41	42	43	44	45	46	47	48	49	50
51	52	53	54	55	56	57	58	59	60
61	62	63	64	65	66	67	68	69	70

Colour red 10 more than

35   58   44   60   36   53   47   51

Colour yellow 10 less than

65   42   48   57   43   66   54   49

Complete.

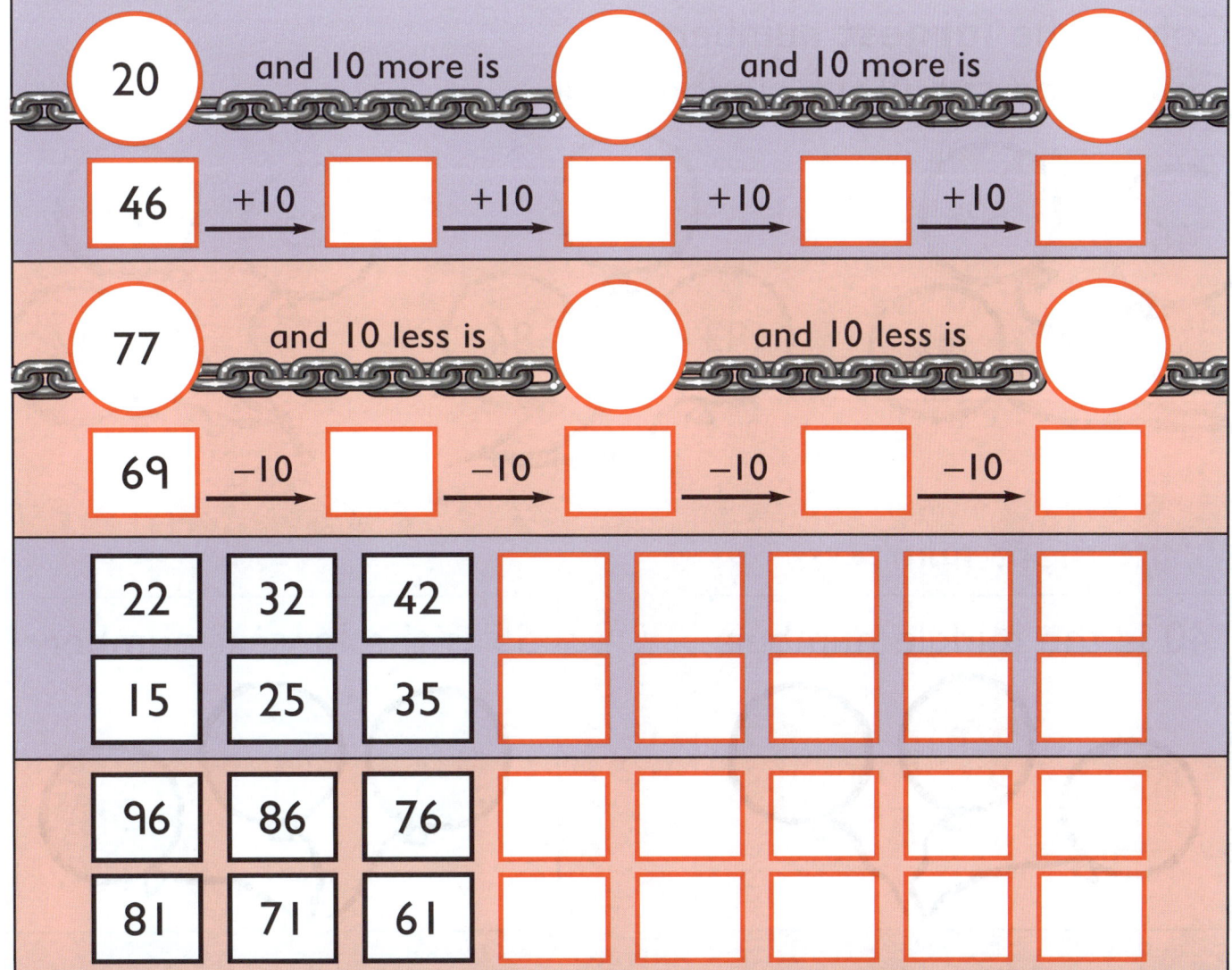

Numbers to 100: 10 more/less

Colour the **larger** number red.

36 72   63 47   91 93

Colour the **smaller** number blue.

23 45   81 69   76 75

Use 6 and 5. Write a number

larger than 60 _____   **smaller** than 60. _____

Colour the **largest** number red.
Colour the **smallest** number blue.

46, 62, 54

78, 93, 84

23, 21, 24

Write more numbers.

40 is the middle number.

55 is the largest number.

Numbers to 100: comparing

Write in order.

| 42 | | | |

| 13 | | | |

| 66 | | | |

| 100 | | | |

Write in order.

Start with the **largest** number.

| | | | | |

Start with the **smallest** number.

| | | | | |

smallest   62 | | | largest

The largest number is 10 more than 65.

The smallest number is 10 less that 50.

Choose a number for each empty box.

CHECK-UP 8 HOME ACTIVITY 13

Numbers to 100: ordering

Write the missing numbers.

Count in twos. How many children? _____

Colour even numbers .   **Colour odd numbers** .

1	2	3	4	5
6	7	8	9	10
11	12	13	14	15
16	17	18	19	20
21	22	23	24	25
26	27	28	29	30

9	10	11	12
13	14	15	16
17	18	19	20
21	22	23	24
25	26	27	28
29	30	31	32

Write the missing numbers.

4   6   8   __   __   14   __

7   9   11   __   __   __   __

18   16   14   __   10   __   __

29   27   25   __   __   __   __

Circle the odd numbers.

(35)   22   25   13

        18

7   29   36   41

Numbers to 100: odd and even

13

Count in threes. Colour.

0	1	2	3	4	5	6	7	8	9	10
										11
22	21	20	19	18	17	16	15	14	13	12
23										
24	25	26	27	28	29	30	31	32	33	

Count in fours. Colour.

0	1	2	3	4	5	6	7	8	9
10	11	12	13	14	15	16	17	18	19
20	21	22	23	24	25	26	27	28	29
30	31	32	33	34	35	36	37	38	39

Write the missing numbers.

0   5   10   ___   ___   ___

25   30   35   ___   ___   ___

3   6   9   ___   ___   ___

0   4   8   ___   16   ___

21   18   15   12   ___   ___

28   24   20   ___   ___   ___

How many?

Numbers to 100: counting in threes, fours and fives

Write the **even** numbers between

Write **two** numbers between

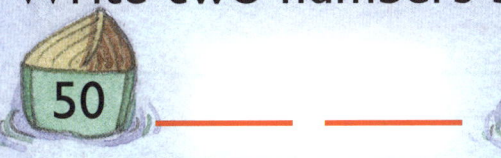  

Write numbers between

Write the number halfway between

10 and 20 → ☐ |·|·|·|·|·|·|·|·|·|·|·|
                10 11 12 13 14 15 16 17 18 19 20 21

19 and 23 → ☐ |·|·|·|·|·|·|
                18 19 20 21 22 23 24

26 and 34 → ☐ |·|·|·|·|·|·|·|·|·|·|
                26 27 28 29 30 31 32 33 34 35 36

31 and 37 → ☐ |·|·|·|·|·|·|·|·|·|·|
                30

Numbers to 100: numbers between

Estimate the numbers.

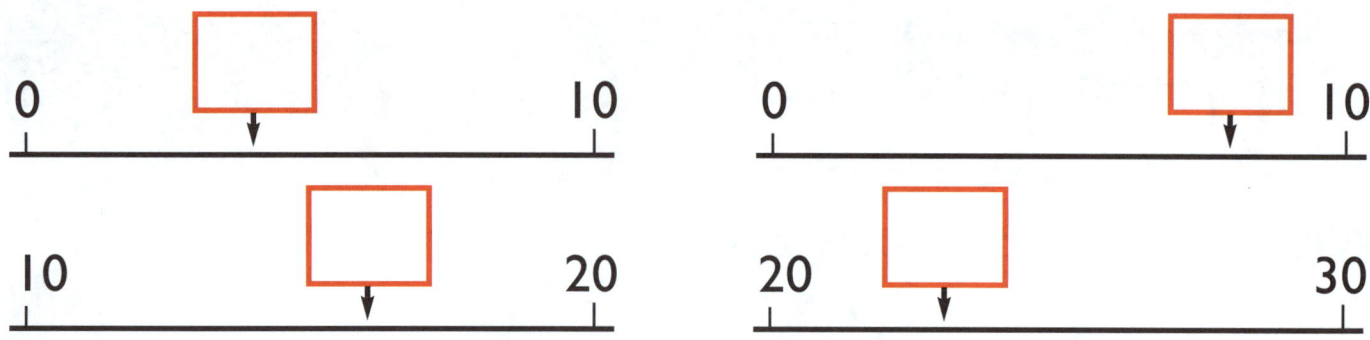

Write numbers on the 🛸.

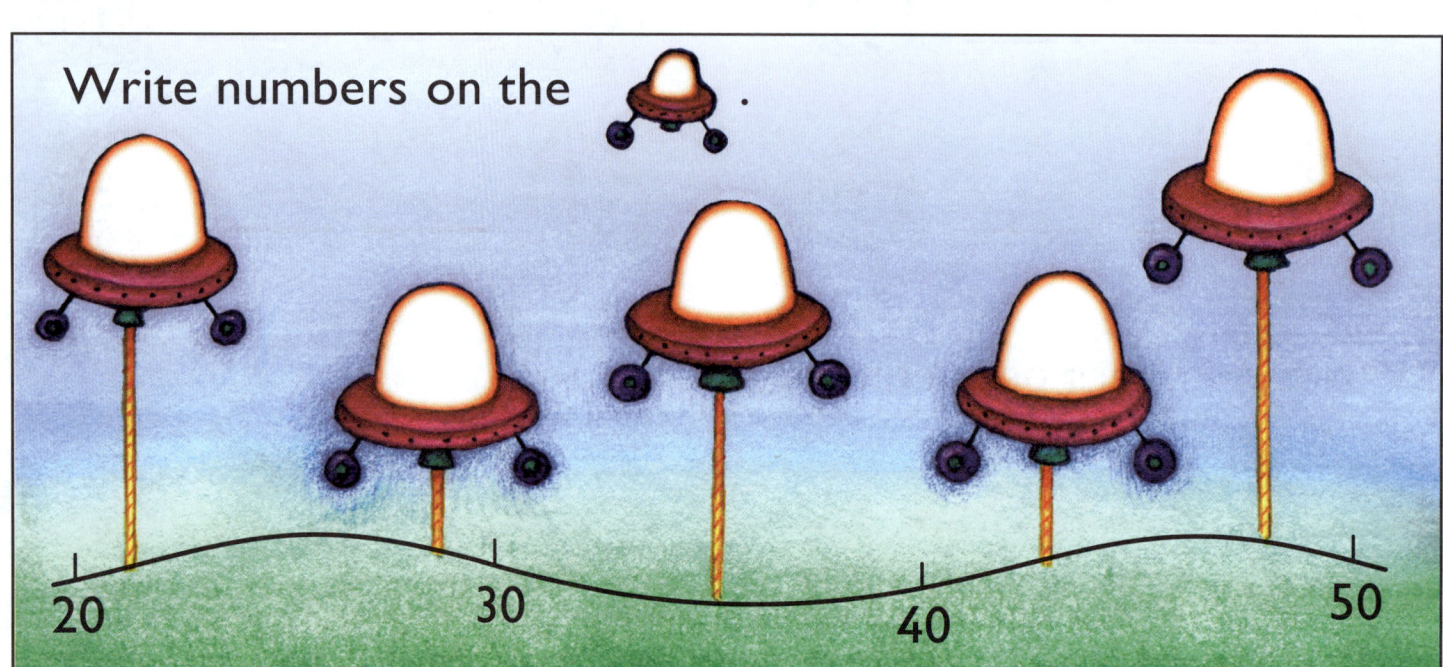

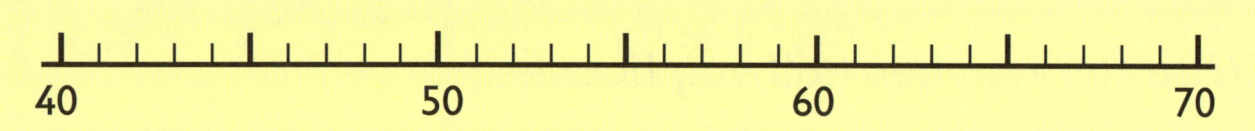

Write to the nearest ten:

53 → ☐   57 → ☐   44 → ☐

66 → ☐   48 → ☐   62 → ☐

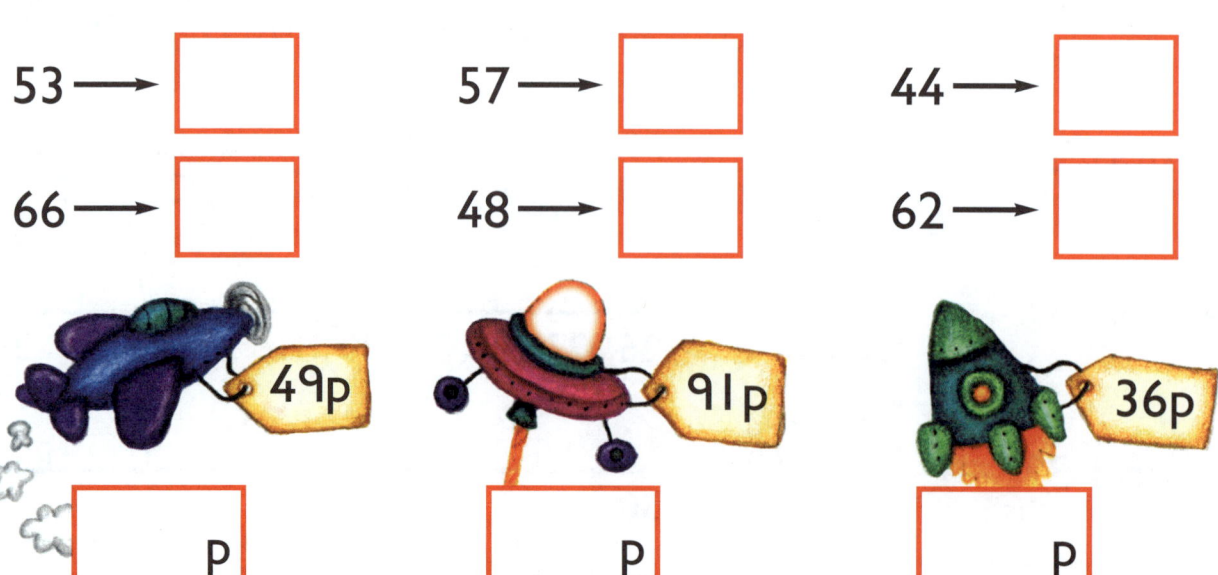

☐ p   ☐ p   ☐ p

Numbers to 100: estimating and rounding

1 Write the missing numbers.

41	42	43							50
			54	55			58	59	
		63			66	67			

2 Write the number

after 89 ☐   before 30 ☐

between 73 and 75 ☐   1 more than 25 ☐

2 more than 39 ☐   2 less than 100 ☐

3 How much altogether? ☐ p

64 = 60 + ☐   38 = ☐ + ☐   52 = ☐ + ☐

4 Complete.

10 more than 74 ☐   10 less than 46 ☐

Numbers to 100: assessment

1 Tick (✓)

the **larger** number   the **smaller** number   the **largest** number

⭕ 85 ⭕ 58   ⭕ 76 ⭕ 67   ⭕ 79 ⭕ 90 ⭕ 82

2 Write the numbers in order.

Start with the **smallest.**
| 66 | 51 | 59 | 63 |

___ ___ ___ ___

Start with the **largest.**
| 77 | 80 | 84 | 78 |

___ ___ ___ ___

3 Write the missing numbers.

3   6   9   ___   ___   21   ___

0   4   8   ___   ___   20   ___

35   30   25   ___   ___   5   ___

Tick (✓) the **even** numbers.

36   5   18   44   27   2

4 Write the number **halfway** between

18 and 24 → ☐   18 19 20 21 22 23 24

5   30 ──────── 40 ──────── 50 ──────── 60

Write to the nearest ten.

38 → ☐   52 → ☐

Numbers to 100: assessment

Complete.

97 98 99 ___ ___ ___ ___

700 701 702 ___ ___ ___ ___

346 347 ___ 349 ___ ___ ___

595 596 597 ___ ___ ___ ___

105 104 103 ___ ___ ___ ___

474 473 ___ 471 ___ ___ ___

800 ___ ___ 797 796 ___ ___

513 512 511 ___ ___ ___ ___

Write the number

after 222 ___
after 300 ___
after 109 ___
after 199 ___

before 306 ___
before 440 ___
before 501 ___
before 900 ___

between 639 and 641 ___
between 299 and 301 ___

Numbers to 1000: sequences

19

Complete.

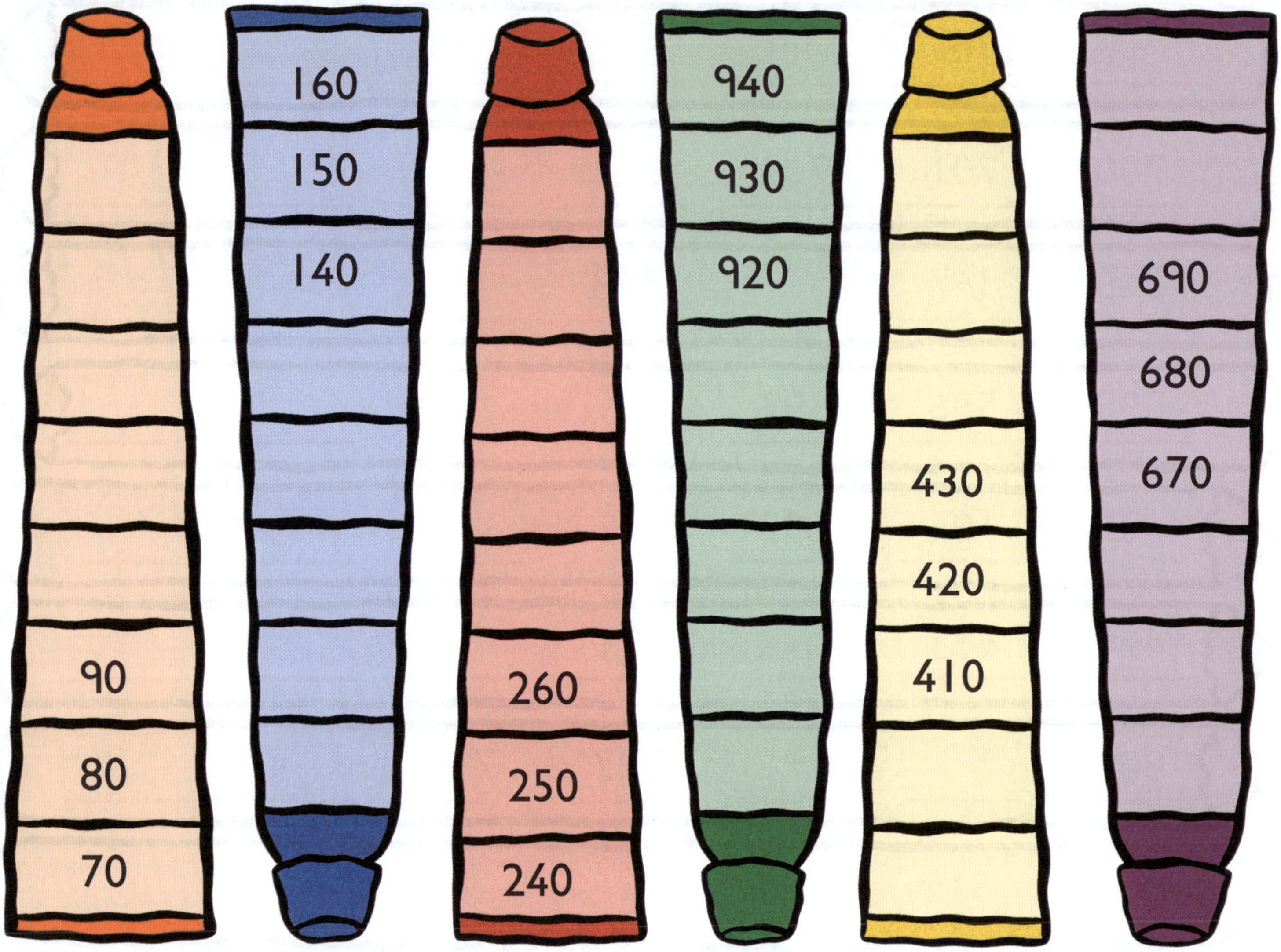

	160		940		
	150		930		
	140		920		690
					680
				430	670
				420	
90		260		410	
80		250			
70		240			

Write the number ten **more** than

550 ☐   200 ☐   890 ☐

ten **less** than

220 ☐   910 ☐   400 ☐

Numbers to 1000: sequences

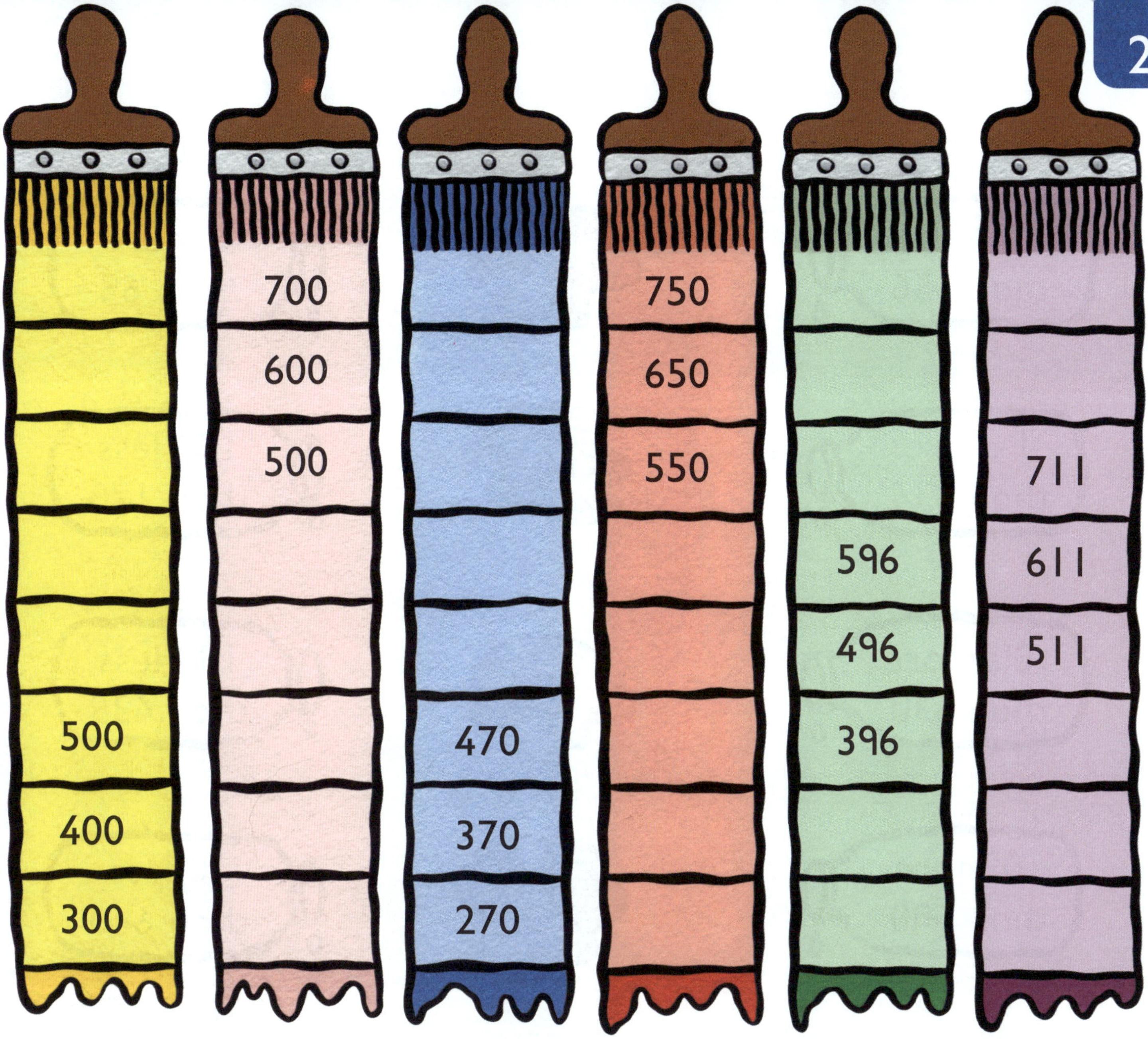

20

	700		750		
500	600		650		711
400	500		550	596	611
300		470		496	511
		370		396	
		270			

Write the number

one hundred **more** than

202 ☐   630 ☐   900 ☐

one hundred **less** than

444 ☐   220 ☐   1000 ☐

Numbers to 1000: sequences

21

Colour to match.

- 1 less than 336 → 335
- 1 more than 69 → 70
- 1 more than 334 → 335
- 100 less than 170 → 70
- 100 more than 530 → 630
- 100 less than 435 → 335
- 10 more than 690 → 700
- 10 less than 640 → 630

Match.

Numbers to 1000: ordering

Colour the **smaller** number red.
Colour the **larger** number green.

Use ⬚5 ⬚4 ⬚6. Write a number

larger than 600 _____   **smaller** than 460. _____

Colour the **smallest** number red.
Colour the **largest** number green.

Who has the **largest** number? _____

Who has the **smallest** number? _____

Write the numbers in order.

Start with the **smallest**.
267   189   345   263

_____

Start with the **largest**.
694   839   793   849

_____

Use 5 8 2 to make different 3-digit numbers.

_____

Write your numbers in order. Start with the **smallest**.

_____

Write **two** numbers between

740 _____ _____ 760

305 _____ _____ 315

0 100 200 300 400 500 600 700 800 900 1000

Write the number halfway between

300 and 400 ☐   100 and 200 ☐   600 and 700 ☐

900 and 1000 ☐   450 and 550 ☐   850 and 950 ☐

Numbers to 1000: ordering

1

Write the missing numbers.

21	22				26	27			30
	32	33					38		
41	42					47	48		
		53	54					59	60
			64	65			68		
71					76	77			
	82	83	84					89	
		93		95			98		

Colour red the number

| after 31 | after 84 | after 50 | after 99 |

Colour blue the number

| before 27 | before 100 | before 69 | before 41 |

Colour green the number

| between 43 and 45 | between 59 and 61 |

Colour yellow all the numbers

| between 56 and 60 | between 88 and 93 |

Numbers to 100: sequences

Write the number after

Write the number before

Write the number between

 22 and 24 96 and 98 80 and 82 69 and 71

Write the missing numbers.

24	25	26						
						63	64	65
			71	72	73			
		94	95	96				

Numbers to 100: after, before, between

3

Write the number

one more than

| 25 | | 40 | | 37 | | 49 | |

two more than

| 72 | | 53 | | 89 | | 98 | |

one less than

| 81 | | 44 | | 32 | | 100 | |

two less than

| 99 | | 72 | | 50 | | 61 | |

Match.

1 less than 40   2 more than 29   2 less than 91

31   39   89   98   100

1 more than 88   2 less than 100   2 more than 98

Numbers to 100: 1 or 2 more/less

HOME ACTIVITY 12

How many?

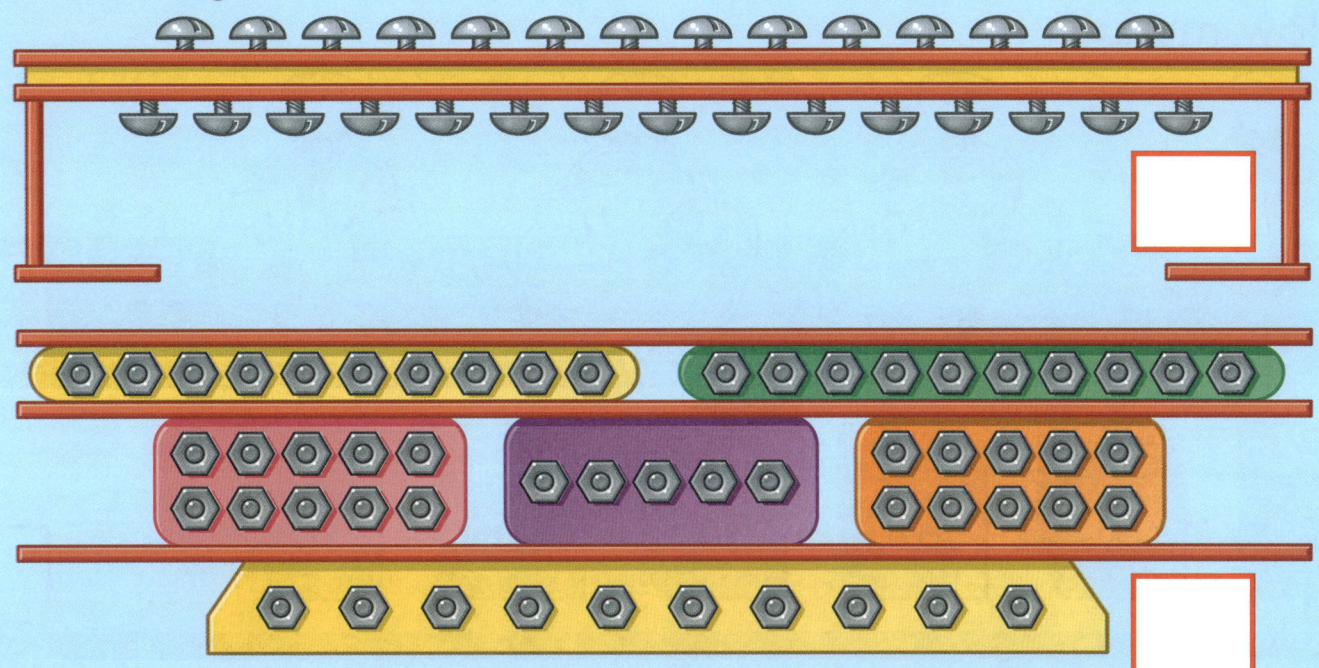

Draw 33 🪛.

Make 46.

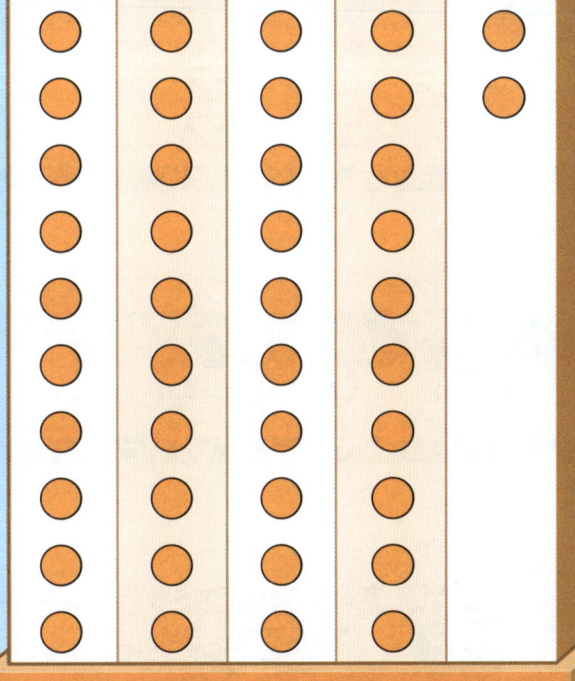

Make 54.

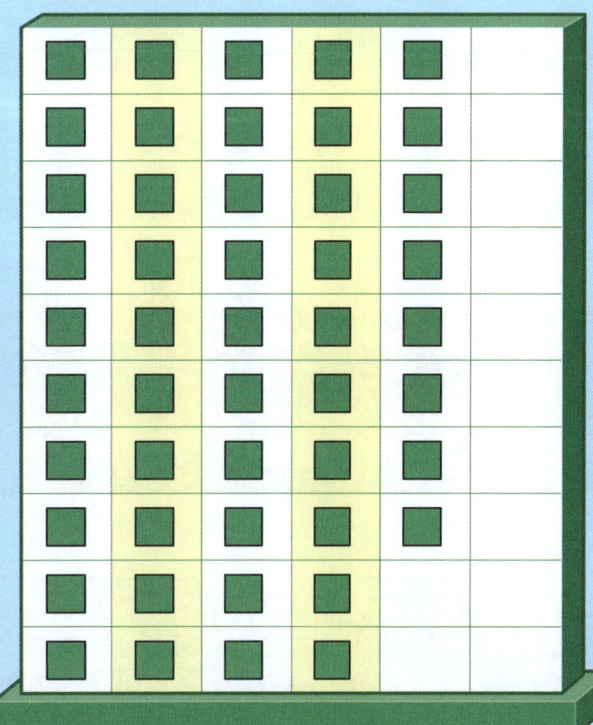

Numbers to 100: counting in ones

5

How many?

Numbers to 100: counting in tens

How much altogether?

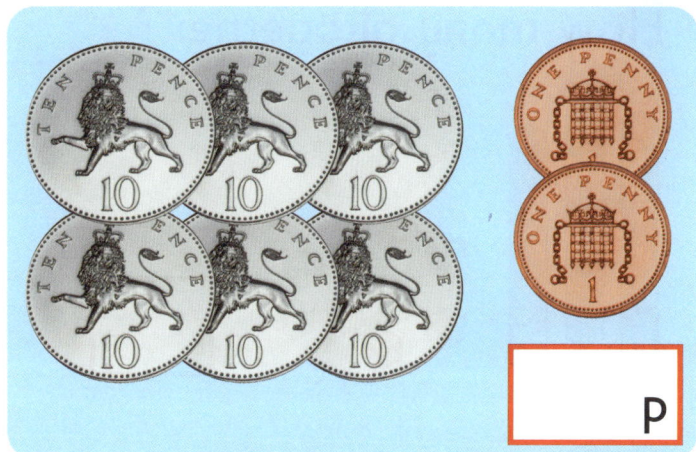

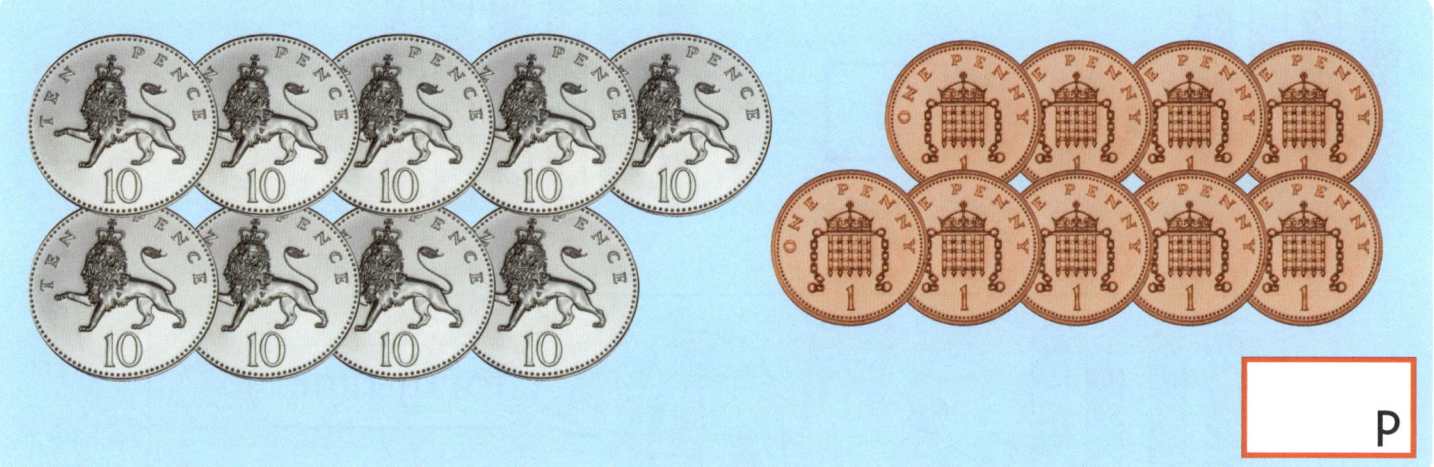

Use 10p and 1p coins. Complete.

60p and 8p

_____ and _____

_____ and _____

_____ and _____

_____

_____

_____

_____

Numbers to 100: place value

7

How many altogether?

 ☐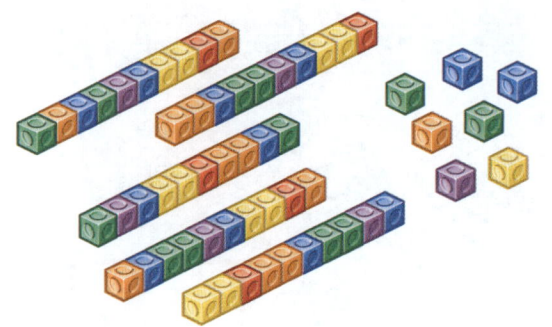

  forty-nine

49 = 40 + 9

25 = +	58 = +	74 = +
86 = +	23 = +	41 = +
33 = +	72 = +	97 = +

Colour to match.

| 80 and 4 | 62 | 46 | 60 + 2 |
| 99 | 40 and 6 | 90 + 9 | 84 |

Numbers to 100: place value

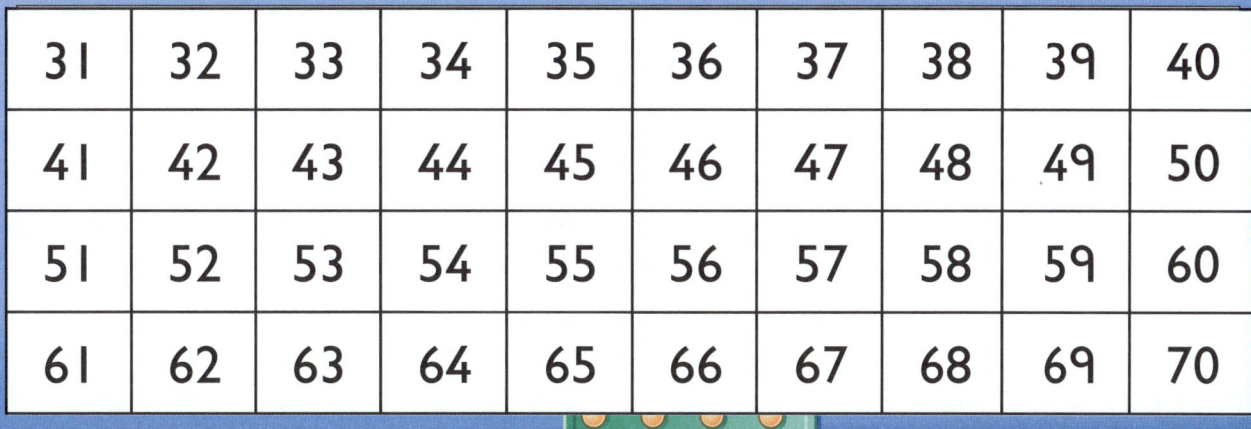

Colour red 10 more than

35   58   44   60   36   53   47   51

Colour yellow 10 less than

65   42   48   57   43   66   54   49

Complete.

20 and 10 more is ◯ and 10 more is ◯

46 →+10→ ☐ →+10→ ☐ →+10→ ☐ →+10→ ☐

77 and 10 less is ◯ and 10 less is ◯

69 →−10→ ☐ →−10→ ☐ →−10→ ☐ →−10→ ☐

22	32	42					
15	25	35					
96	86	76					
81	71	61					

Numbers to 100: 10 more/less

Colour the **larger** number red.

| 36 | 72 | | 63 | 47 | | 91 | 93 |

Colour the **smaller** number blue.

| 23 | 45 | | 81 | 69 | | 76 | 75 |

Use 6 and 5. Write a number

larger than 60 _____   **smaller** than 60. _____

Colour the **largest** number red.
Colour the **smallest** number blue.

78, 93, 84

Write more numbers.

40 is the middle number.

55 is the largest number.

Numbers to 100: comparing

Write in order.

| 42 | | | |

| 13 | | | |

| 66 | | | |

| 100 | | | |

Write in order.

Start with the **largest** number.

| | | | | |

Start with the **smallest** number.

| | | | | |

smallest | | | 62 | | | largest

The largest number is 10 more than 65.

The smallest number is 10 less that 50.

Choose a number for each empty box.

CHECK-UP 8 | HOME ACTIVITY 13 — Numbers to 100: ordering

Colour even numbers .   Colour odd numbers .

1	2	3	4	5
6	7	8	9	10
11	12	13	14	15
16	17	18	19	20
21	22	23	24	25
26	27	28	29	30

9	10	11	12
13	14	15	16
17	18	19	20
21	22	23	24
25	26	27	28
29	30	31	32

Write the missing numbers.

4   6   8   ___   14   ___

7   9   11   ___   ___   ___

18   16   14   ___   10   ___

29   27   25   ___   ___   ___

Circle the odd numbers.

(35)   22   25   13

7   29   18   36   41

Numbers to 100: odd and even

Count in threes. Colour.

0	1	2	3	4	5	6	7	8	9	10
										11
22	21	20	19	18	17	16	15	14	13	12
23										
24	25	26	27	28	29	30	31	32	33	

Count in fours. Colour.

0	1	2	3	4	5	6	7	8	9
10	11	12	13	14	15	16	17	18	19
20	21	22	23	24	25	26	27	28	29
30	31	32	33	34	35	36	37	38	39

Write the missing numbers.

0   5   10   ___   ___   ___

25   30   35   ___   ___   ___

3   6   9   ___   ___   ___

0   4   8   ___   16   ___

21   18   15   12   ___   ___

28   24   20   ___   ___   ___

How many?

Numbers to 100: counting in threes, fours and fives

Write the **even** numbers between

Write **two** numbers between

Write numbers between

Write the number halfway between

10 and 20 → ☐ |·|·|·|·|·|·|·|·|·|·|·|
                   10 11 12 13 14 15 16 17 18 19 20 21

19 and 23 → ☐ |·|·|·|·|·|·|·|
                   18 19 20 21 22 23 24

26 and 34 → ☐ |·|·|·|·|·|·|·|·|·|·|
                   26 27 28 29 30 31 32 33 34 35 36

31 and 37 → ☐ |·|·|·|·|·|·|·|
                   30

Numbers to 100: numbers between

Estimate the numbers.

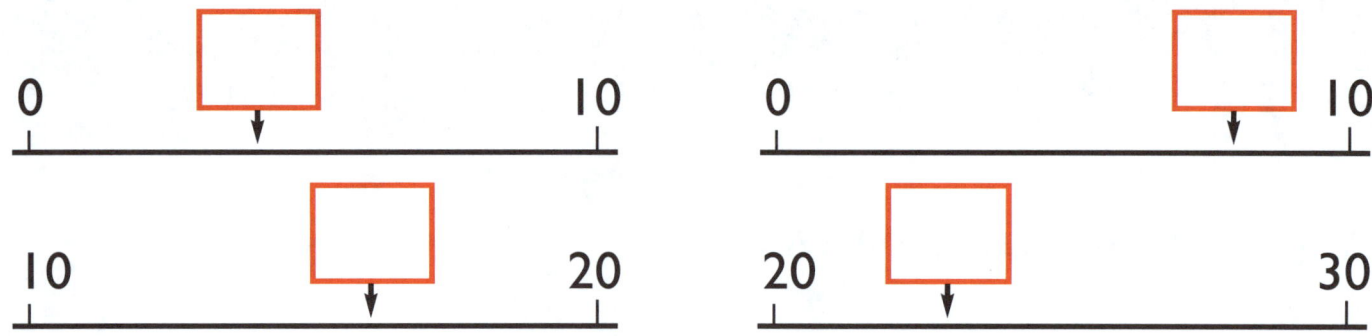

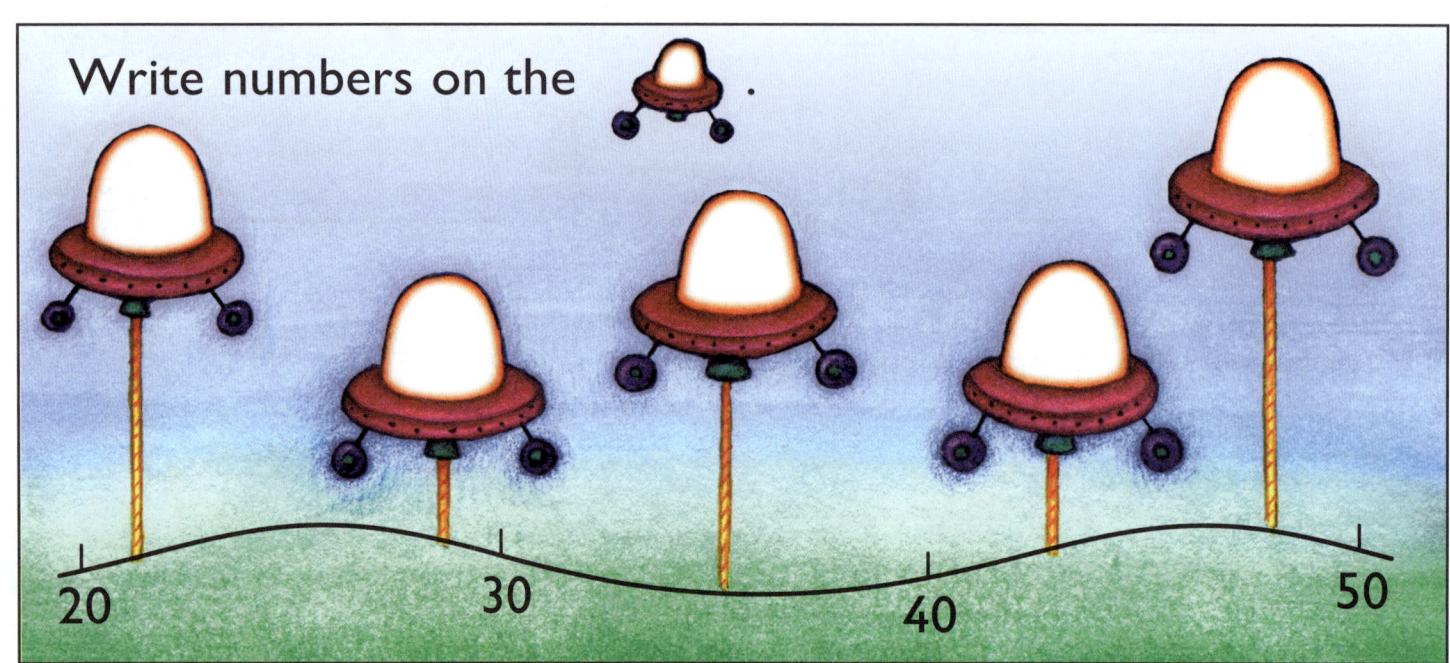

Write numbers on the 🛸.

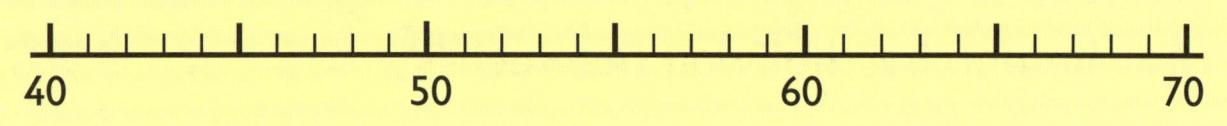

Write to the nearest ten:

53 → ☐   57 → ☐   44 → ☐

66 → ☐   48 → ☐   62 → ☐

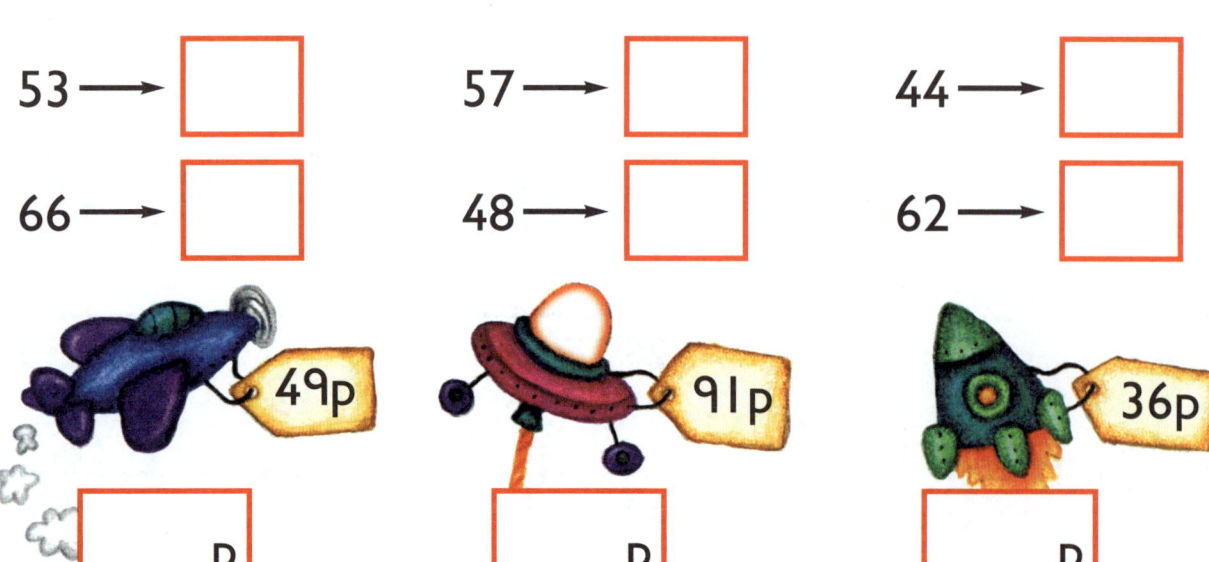

☐ p   ☐ p   ☐ p

Numbers to 100: estimating and rounding

1 Write the missing numbers.

41	42	43							50
			54	55			58	59	
		63			66	67			

2 Write the number

after 89 ☐   before 30 ☐

between 73 and 75 ☐   1 more than 25 ☐

2 more than 39 ☐   2 less than 100 ☐

3 How much altogether? ☐ p

64 = 60 +   38 =   +   52 =   +

4 Complete.

10 more than 74 ☐   10 less than 46 ☐

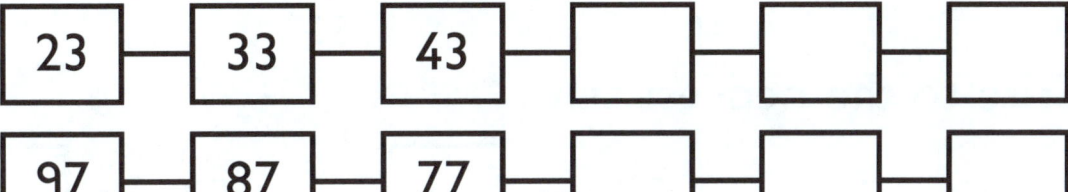

Numbers to 100: assessment

1 Tick (✓)

the **larger** number   the **smaller** number   the **largest** number

◯ 85 ◯ 58   ◯ 76 ◯ 67   ◯ 79 ◯ 90 ◯ 82

2 Write the numbers in order.

Start with the **smallest.**
| 66 | 51 | 59 | 63 |

___ ___ ___ ___

Start with the **largest.**
| 77 | 80 | 84 | 78 |

___ ___ ___ ___

3 Write the missing numbers.

3   6   9   ___   ___   ___   21   ___

0   4   8   ___   ___   20   ___   ___

35   30   25   ___   ___   ___   5   ___

Tick (✓) the **even** numbers.

36   5   18   44   27   2

4 Write the number **halfway** between

18 and 24 → ☐   18 19 20 21 22 23 24

5

30 — 40 — 50 — 60

Write to the nearest ten.

38 → ☐   52 → ☐

Numbers to 100: assessment

Complete.

97 98 99 ___ ___ ___ ___ ___

700 701 702 ___ ___ ___ ___ ___

346 347 ___ 349 ___ ___ ___ ___

595 596 597 ___ ___ ___ ___ ___

105 104 103 ___ ___ ___ ___ ___

474 473 ___ 471 ___ ___ ___ ___

800 ___ ___ 797 796 ___ ___ ___

513 512 511 ___ ___ ___ ___ ___

Write the number

after 222 ___
after 300 ___
after 109 ___
after 199 ___

before 306 ___
before 440 ___
before 501 ___
before 900 ___

between 639 and 641 ___
between 299 and 301 ___

Numbers to 1000: sequences

19

Complete.

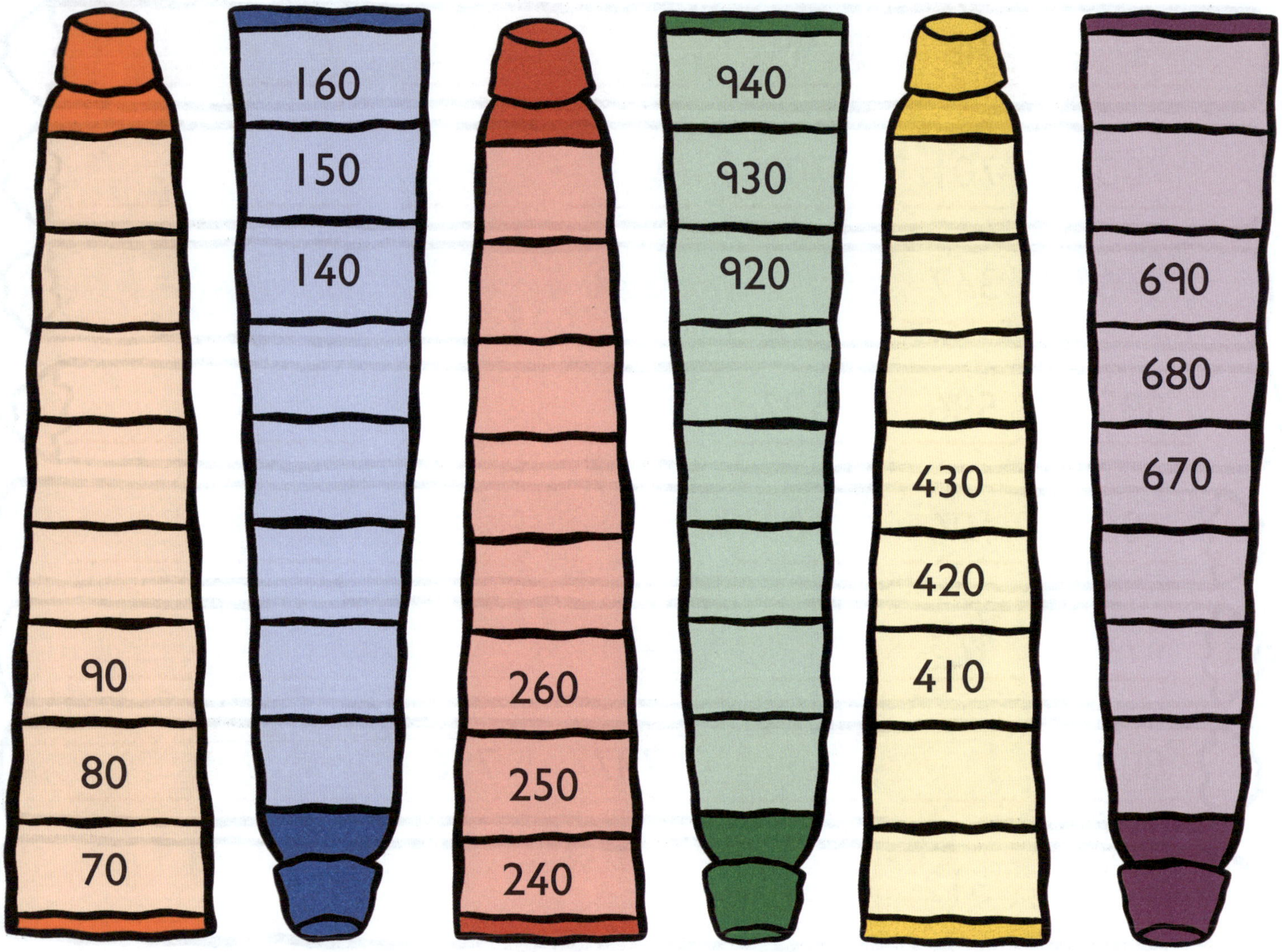

	160		940		
	150		930		
	140		920		690
					680
				430	670
				420	
90		260		410	
80		250			
70		240			

Write the number ten **more** than

550 ☐   200 ☐   890 ☐

ten **less** than

220 ☐   910 ☐   400 ☐

Numbers to 1000: sequences

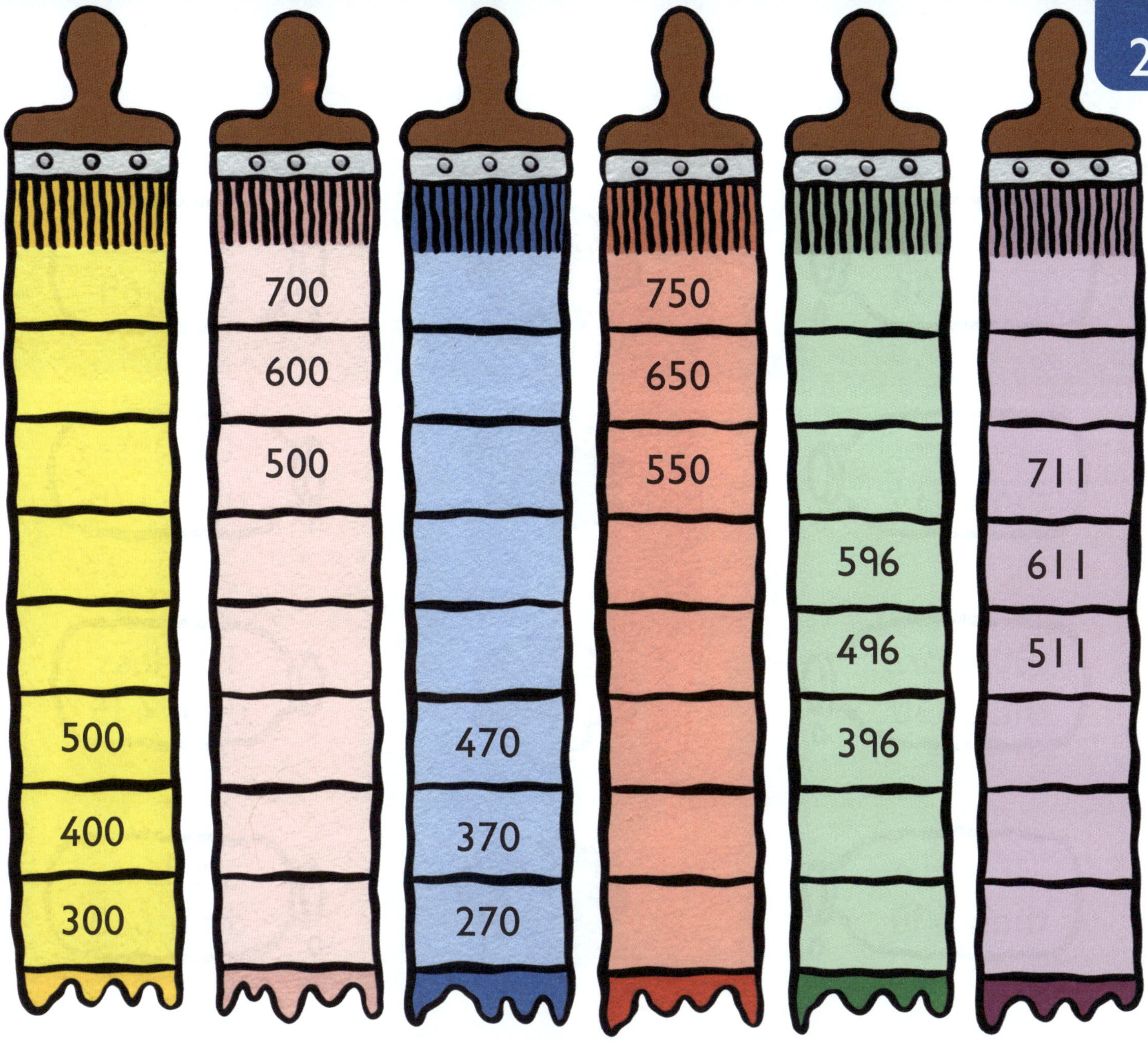

Write the number

one hundred **more** than

202 ☐   630 ☐   900 ☐

one hundred **less** than

444 ☐   220 ☐   1000 ☐

Numbers to 1000: sequences

21

Colour to match.

1 less than 336	335	1 more than 69
1 more than 334	70	100 less than 170
100 more than 530	700	100 less than 435
10 more than 690	630	10 less than 640

Match.

Numbers to 1000: ordering

Colour the **smaller** number red.
Colour the **larger** number green.

Use ⬜5 ⬜4 ⬜6 . Write a number

larger than 600 _____   **smaller** than 460. _____

Colour the **smallest** number red.
Colour the **largest** number green.

Who has the **largest** number? _____

Who has the **smallest** number? _____

Numbers to 1000: comparing

23

Write the numbers in order.

Start with the **smallest.**
267 189 345 263
_____

Start with the **largest.**
694 839 793 849
_____

Use 5 8 2 to make different 3-digit numbers.
_____

Write your numbers in order. Start with the **smallest.**
_____

Write **two** numbers between

740 ____ ____ 760

305 ____ ____ 315

0 100 200 300 400 500 600 700 800 900 1000

Write the number halfway between

300 and 400 ☐   100 and 200 ☐   600 and 700 ☐

900 and 1000 ☐   450 and 550 ☐   850 and 950 ☐

Numbers to 1000: ordering

Heinemann is an imprint of Pearson Education Limited, a company incorporated in England and Wales, having its registered office at Edinburgh Gate, Harlow, Essex, CM20 2JE.
Registered company number: 872828
Photos of coins and notes © Pearson Education 2018, used under Crown Copyright.
ISBN 978 0435 16973 2 © Scottish Primary Mathematics Group 1999.
First published 1999.   25 37
Designed and illustrated by Gecko Ltd. Printed in Great Britain by Bell & Bain Ltd, Glasgow

Write the missing numbers.

21	22				26	27			30
	32	33					38		
41	42					47	48		
		53	54					59	60
			64	65			68		
71					76	77			
	82	83	84					89	
		93		95			98		

Colour red the number

after 31   after 84   after 50   after 99

Colour blue the number

before 27   before 100   before 69   before 41

Colour green the number

between 43 and 45   between 59 and 61

Colour yellow all the numbers

between 56 and 60   between 88 and 93

Numbers to 100: sequences

Write the number after

Write the number before

Write the number between

 96 and 98 80 and 82 69 and 71

Write the missing numbers.

24	25	26						
						63	64	65
			71	72	73			
		94	95	96				

Numbers to 100: after, before, between

3

Write the number

one more than

| 25 | | 40 | | 37 | | 49 | |

two more than

| 72 | | 53 | | 89 | | 98 | |

one less than

| 81 | | 44 | | 32 | | 100 | |

two less than

| 99 | | 72 | | 50 | | 61 | |

Match.

1 less than 40   2 more than 29   2 less than 91

31   39   89   98   100

1 more than 88   2 less than 100   2 more than 98

Numbers to 100: 1 or 2 more/less   HOME ACTIVITY 12

How many?

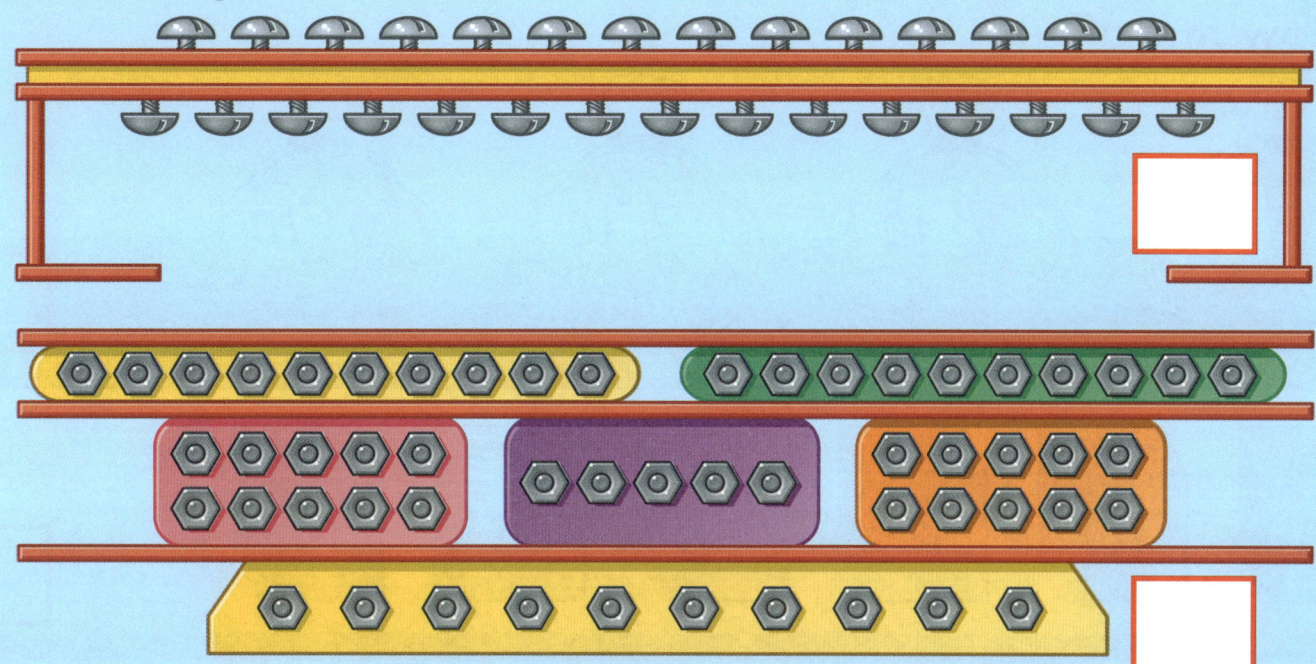

Draw 33 🔩.

Make 46.

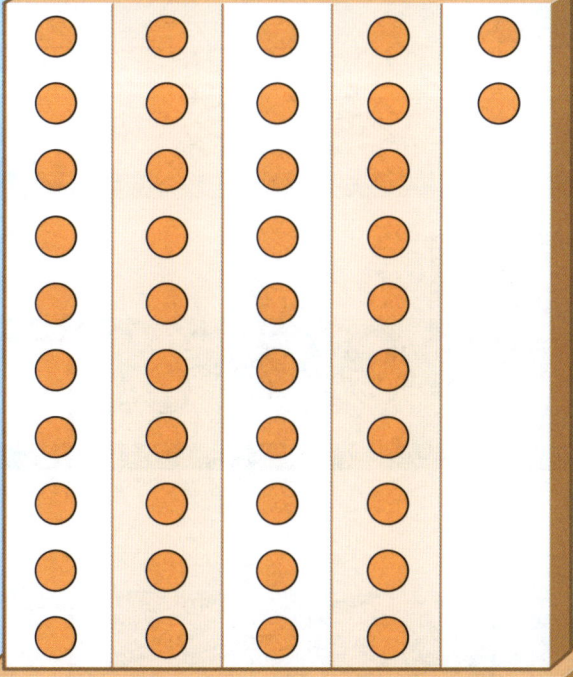

Make 54.

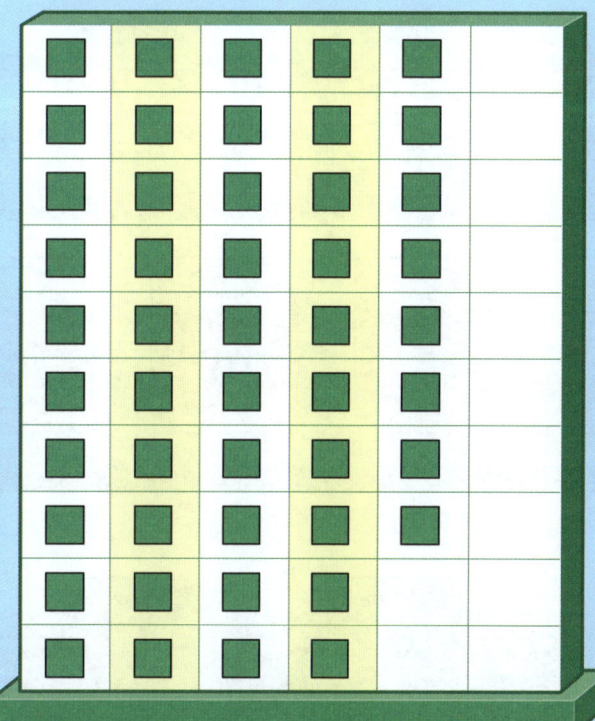

Numbers to 100: counting in ones

How much altogether?

53 p

62 p

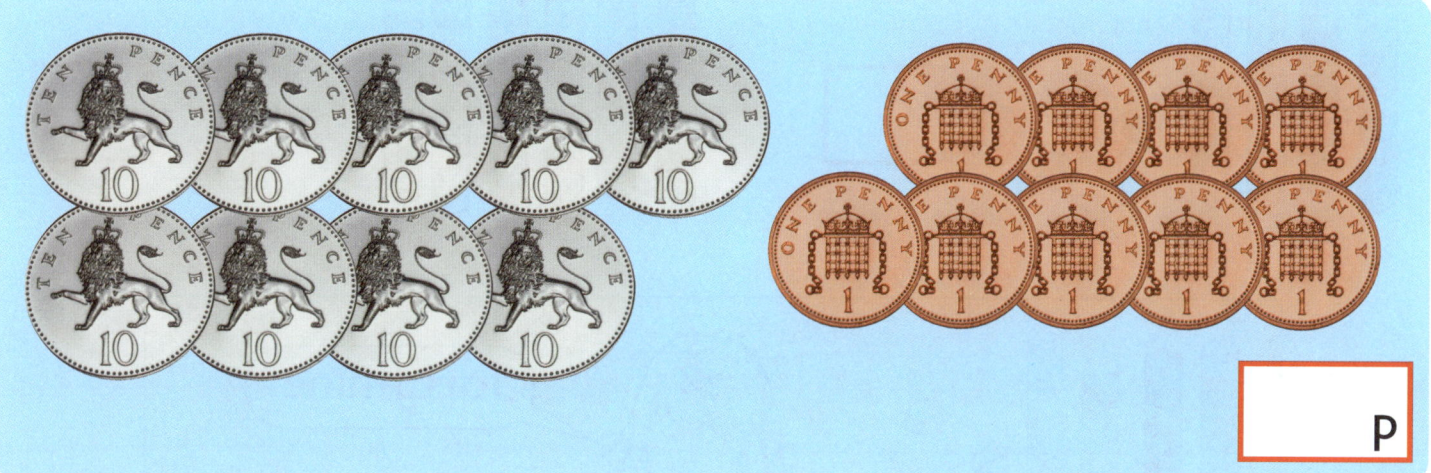

99 p

Use 10p and 1p coins. Complete.

68p

60p and 8p

16p

___ and ___

82p

___ and ___

71p

___ and ___

44p

___ and ___

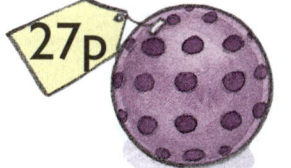

27p

___ and ___

55p

___ and ___

38p

___ and ___

Numbers to 100: place value

7

How many altogether?

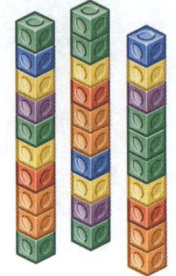   ☐    ☐

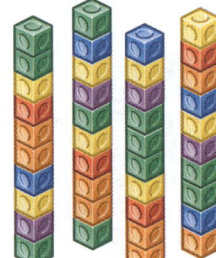  ☐     ☐

  forty-nine

49 = 40 + 9

25 = ___ + ___	58 = ___ + ___	74 = ___ + ___
86 = ___ + ___	23 = ___ + ___	41 = ___ + ___
33 = ___ + ___	72 = ___ + ___	97 = ___ + ___

Colour to match.

| 80 and 4 | 62 | 46 | 60 + 2 |
| 99 | 40 and 6 | 90 + 9 | 84 |

Numbers to 100: place value   CHECK-UP 7

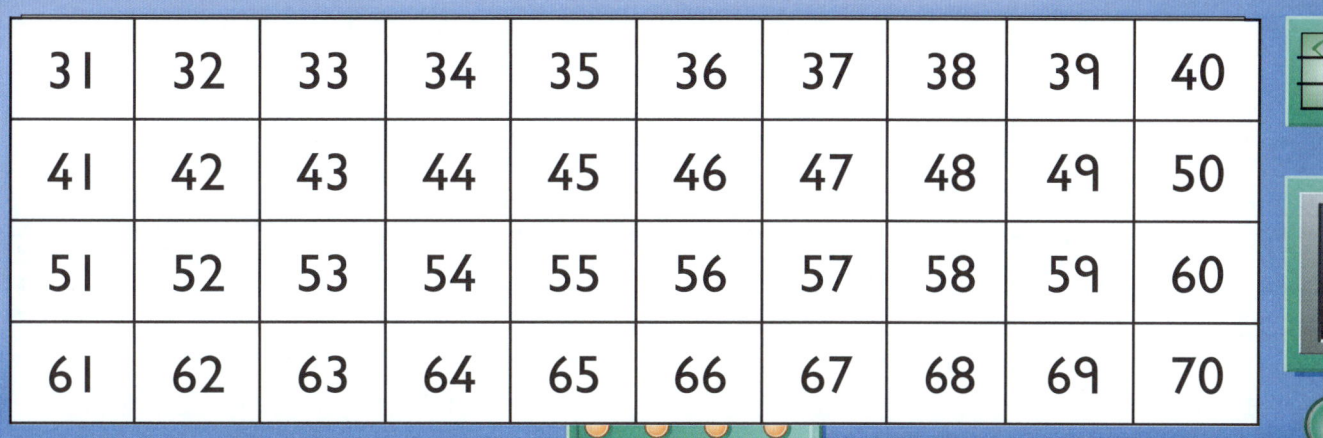

Colour red 10 more than

35   58   44   60   36   53   47   51

Colour yellow 10 less than

65   42   48   57   43   66   54   49

Complete.

20 and 10 more is ◯ and 10 more is ◯

46 +10→ ☐ +10→ ☐ +10→ ☐ +10→ ☐

77 and 10 less is ◯ and 10 less is ◯

69 −10→ ☐ −10→ ☐ −10→ ☐ −10→ ☐

22	32	42					
15	25	35					
96	86	76					
81	71	61					

Numbers to 100: 10 more/less

Colour the **larger** number red.

36   72   63   47   91   93

Colour the **smaller** number blue.

23   45   81   69   76   75

Use 6 and 5. Write a number

larger than 60 _____   **smaller** than 60. _____

Colour the **largest** number red.
Colour the **smallest** number blue.

46   62   54   78   93   84   23   21   24

Write more numbers.

40 is the middle number.

55 is the largest number.

Numbers to 100: comparing

Write in order.

| 42 | | | |

| 13 | | | |

| 66 | | | |

| 100 | | | |

Write in order.

Start with the **largest** number.

| | | | | |

Start with the **smallest** number.

| | | | | |

smallest | | | 62 | | | largest

The largest number is 10 more than 65.

The smallest number is 10 less that 50.

Choose a number for each empty box.

CHECK-UP 8   HOME ACTIVITY 13   Numbers to 100: ordering

Colour even numbers .   Colour odd numbers .

1	2	3	4	5
6	7	8	9	10
11	12	13	14	15
16	17	18	19	20
21	22	23	24	25
26	27	28	29	30

9	10	11	12
13	14	15	16
17	18	19	20
21	22	23	24
25	26	27	28
29	30	31	32

Write the missing numbers.

4   6   8   ___   ___   14   ___

7   9   11   ___   ___   ___   ___

18   16   14   ___   10   ___   ___

29   27   25   ___   ___   ___   ___

Circle the odd numbers.

(35)   22   7   29   18   25   36   13   41

Numbers to 100: odd and even

Count in threes. Colour.

0	1	2	3	4	5	6	7	8	9	10
										11
22	21	20	19	18	17	16	15	14	13	12
23
24	25	26	27	28	29	30	31	32	33

Count in fours. Colour.

0	1	2	3	4	5	6	7	8	9
10	11	12	13	14	15	16	17	18	19
20	21	22	23	24	25	26	27	28	29
30	31	32	33	34	35	36	37	38	39

Write the missing numbers.

0   5   10   ___   ___   ___

25   30   35   ___   ___   ___

3   6   9   ___   ___   ___

0   4   8   ___   16   ___

21   18   15   12   ___   ___

28   24   20   ___   ___   ___

How many?

Write the **even** numbers between

Write **two** numbers between

Write numbers between

Write the number halfway between

10 and 20 → ☐

|—•—|—|—|—|—|—|—|—|—|—•—|—|
10 11 12 13 14 15 16 17 18 19 20 21

19 and 23 → ☐

|—|—|—|—|—|—|—|
18 19 20 21 22 23 24

26 and 34 → ☐

|—|—|—|—|—|—|—|—|—|—|
26 27 28 29 30 31 32 33 34 35 36

31 and 37 → ☐

|—|—|—|—|—|—|—|—|—|—|
30

Numbers to 100: numbers between

15

Estimate the numbers.

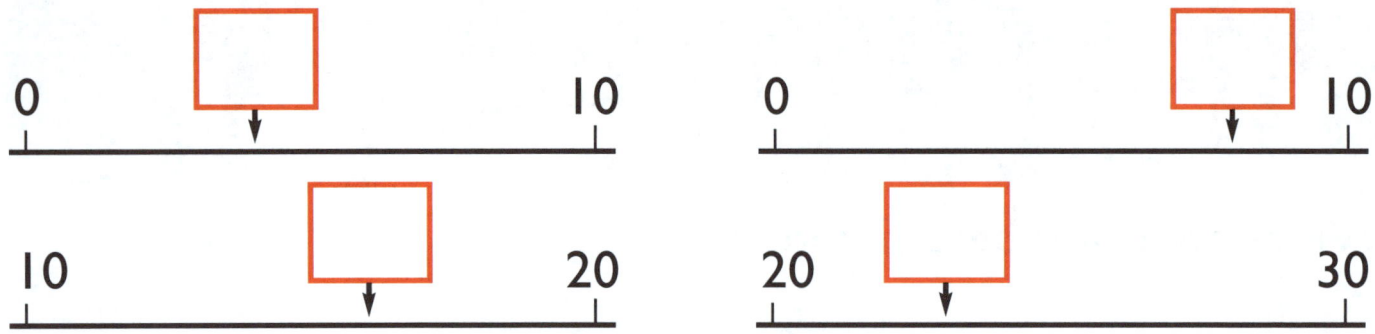

Write numbers on the

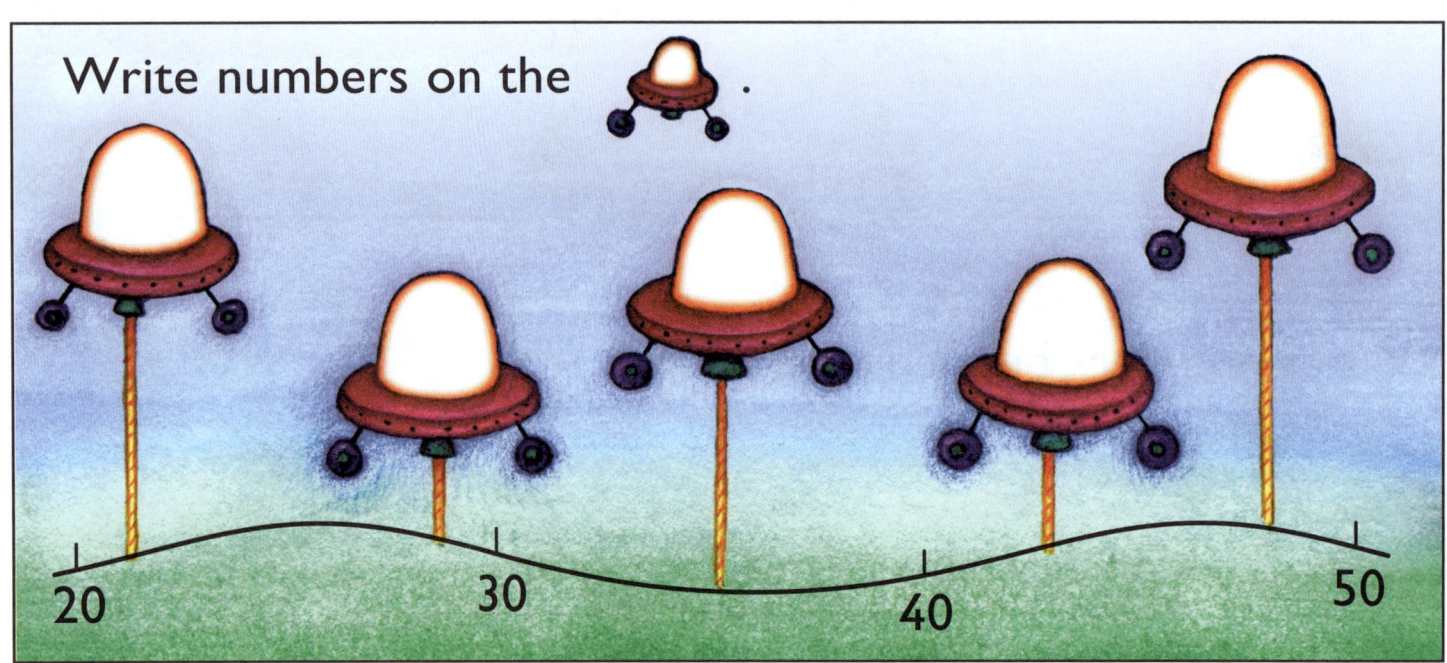

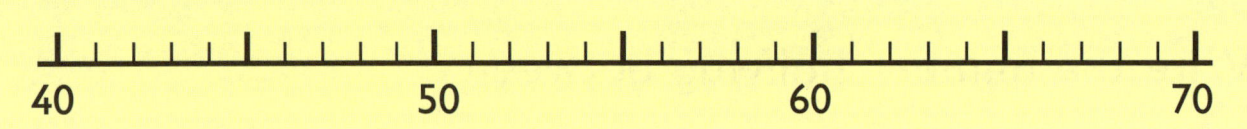

Write to the nearest ten:

53 → ☐   57 → ☐   44 → ☐

66 → ☐   48 → ☐   62 → ☐

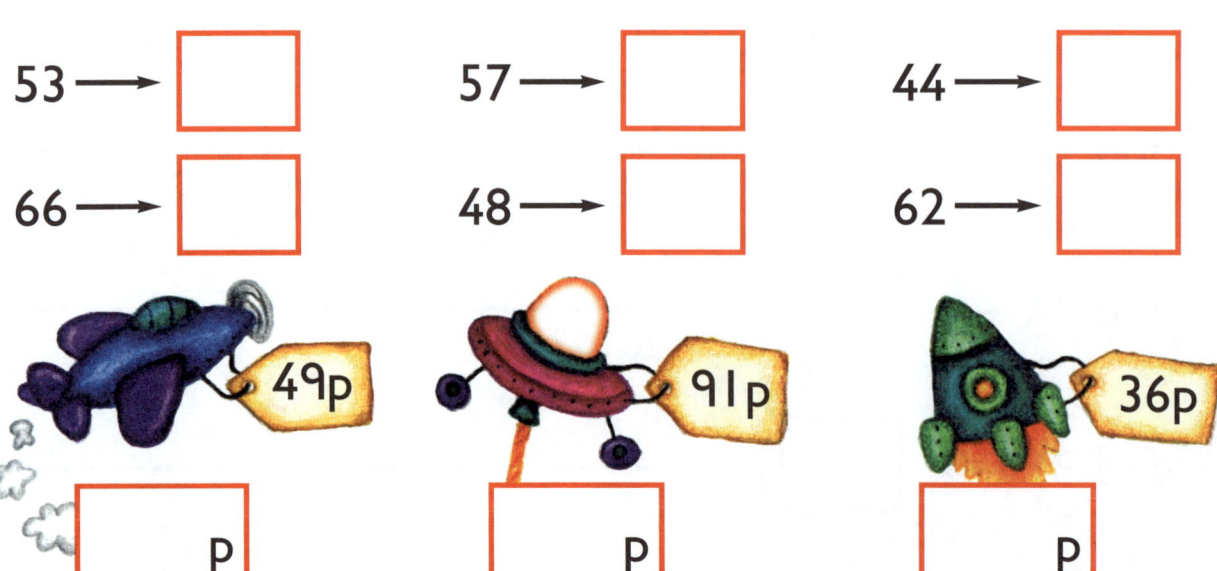

☐ p   ☐ p   ☐ p

Numbers to 100: estimating and rounding

1 Write the missing numbers.

41	42	43							50
			54	55			58	59	
		63			66	67			

2 Write the number

after 89 ☐   before 30 ☐

between 73 and 75 ☐   1 more than 25 ☐

2 more than 39 ☐   2 less than 100 ☐

3 How much altogether? ☐ p

64 = 60 +   38 =   +   52 =   +

4 Complete.

10 more than 74 ☐   10 less than 46 ☐

23 — 33 — 43 — ☐ — ☐ — ☐

97 — 87 — 77 — ☐ — ☐ — ☐

Numbers to 100: assessment

17

1 Tick (✓)

the **larger** number   the **smaller** number   the **largest** number

(85) (58)   (76) (67)   (79) (90) (82)

---

2 Write the numbers in order.

Start with the **smallest.**
66   51   59   63

___ ___ ___ ___

Start with the **largest.**
77   80   84   78

___ ___ ___ ___

---

3 Write the missing numbers.

3   6   9   ___   ___   21   ___

0   4   8   ___   20   ___   ___

35   30   25   ___   ___   5   ___

Tick (✓) the **even** numbers.

(36) (5) (18) (44) (27) (2)

---

4 Write the number **halfway** between

18 and 24 → ☐

5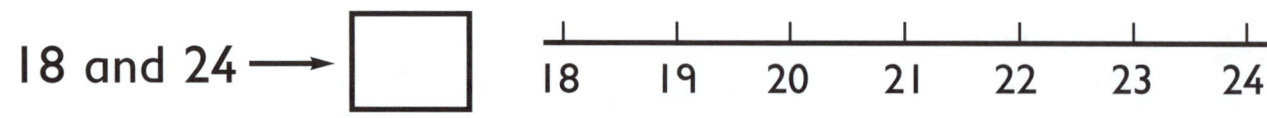

Write to the nearest ten.

38 → ☐   52 → ☐

Numbers to 100: assessment

Complete.

97 98 99 ___ ___ ___ ___ ___

700 701 702 ___ ___ ___ ___ ___

346 347 ___ 349 ___ ___ ___ ___

595 596 597 ___ ___ ___ ___ ___

105 104 103 ___ ___ ___ ___ ___

474 473 ___ 471 ___ ___ ___ ___

800 ___ ___ 797 796 ___ ___ ___

513 512 511 ___ ___ ___ ___ ___

Write the number

after 222 ___
after 300 ___
after 109 ___
after 199 ___

before 306 ___
before 440 ___
before 501 ___
before 900 ___

between 639 and 641 ___
between 299 and 301 ___

Numbers to 1000: sequences

19

Complete.

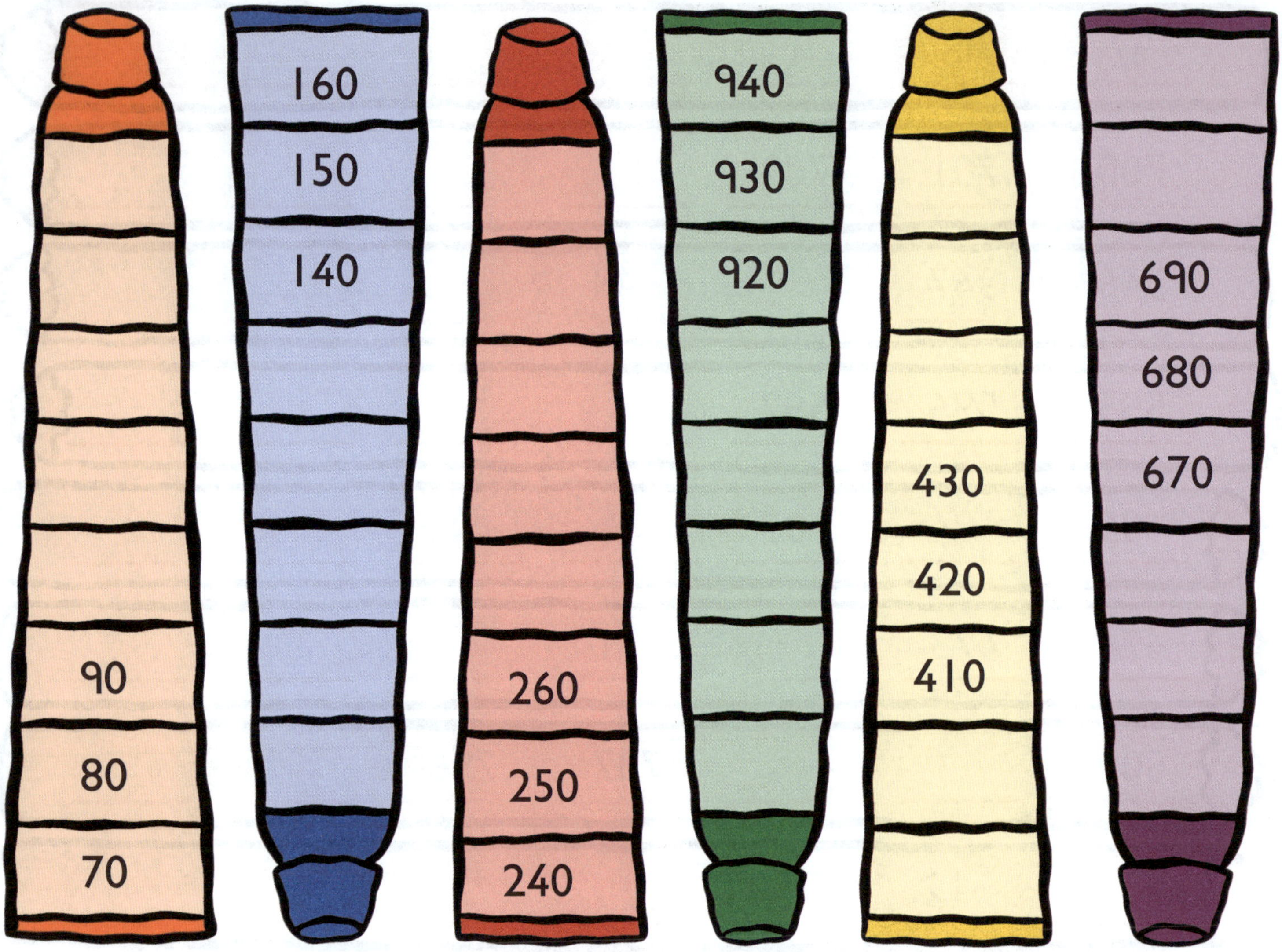

	160		940		
	150		930		690
	140		920		680
				430	670
		260		420	
90		250		410	
80		240			
70					

Write the number ten **more** than

550 ☐   200 ☐   890 ☐

ten **less** than

220 ☐   910 ☐   400 ☐

Numbers to 1000: sequences

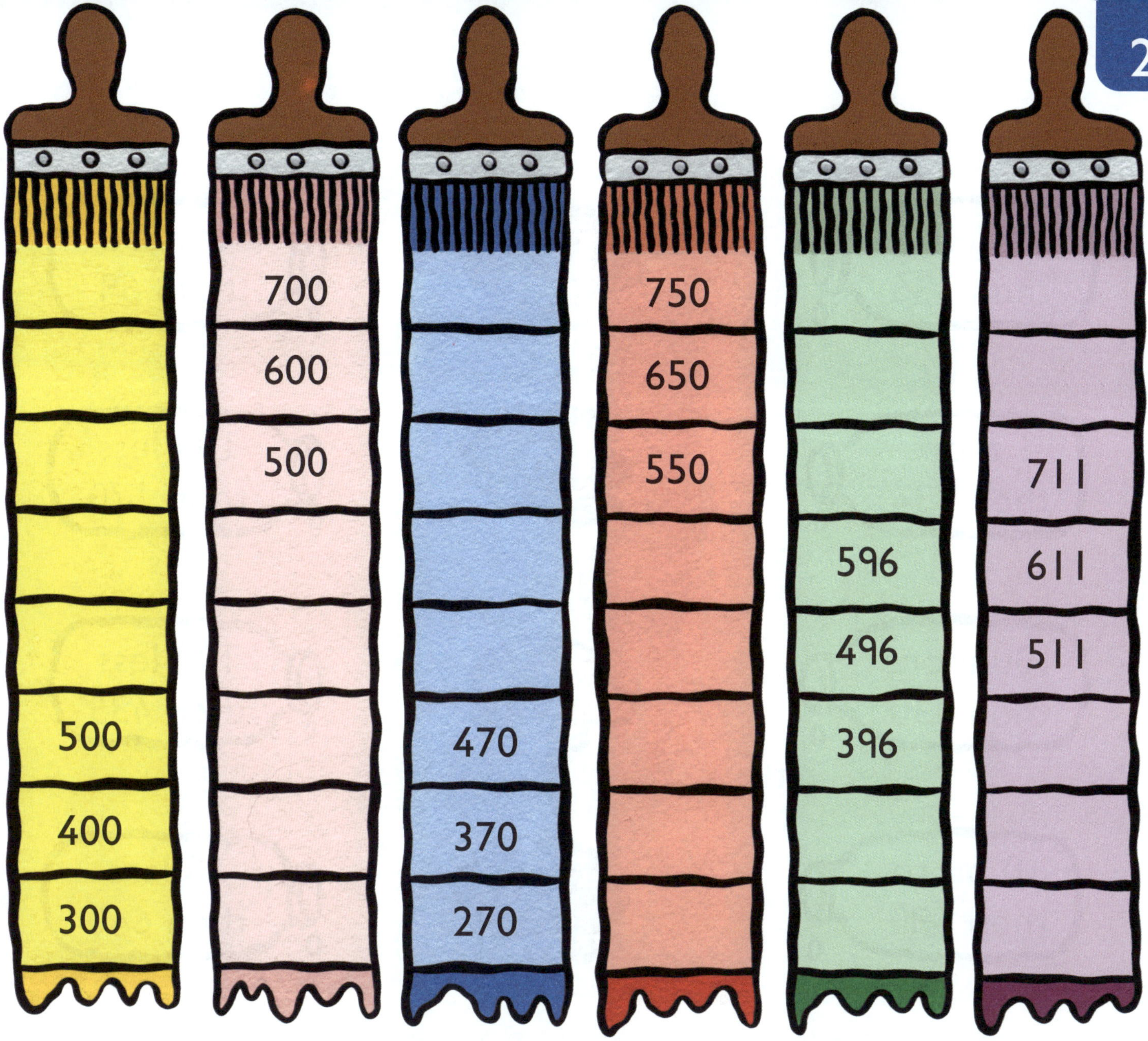

20

	700		750		
	600		650		
	500		550	711	
				596	611
				496	511
500		470		396	
400		370			
300		270			

Write the number

one hundred **more** than

202 ☐   630 ☐   900 ☐

one hundred **less** than

444 ☐   220 ☐   1000 ☐

Numbers to 1000: sequences

Colour to match.

- 1 less than 336 — 335
- 1 more than 69 — 70
- 1 more than 334 — 335
- 100 less than 170 — 70
- 100 more than 530 — 630
- 100 less than 435 — 335
- 10 more than 690 — 700
- 10 less than 640 — 630

Match.

420   550   576

400   500   600

490   529   610

Numbers to 1000: ordering

Colour the **smaller** number red.
Colour the **larger** number green.

Use 5 4 6 . Write a number

larger than 600 _____   **smaller** than 460. _____

Colour the **smallest** number red.
Colour the **largest** number green.

Who has the **largest** number? _____

Who has the **smallest** number? _____

Numbers to 1000: comparing

23

Write the numbers in order.

Start with the **smallest.**
267 189 345 263
_____

Start with the **largest.**
694 839 793 849
_____

Use 5 8 2 to make different 3-digit numbers.
_____

Write your numbers in order. Start with the **smallest.**
_____

Write **two** numbers between

740 ___ ___ 760

305 ___ ___ 315

Write the number halfway between

300 and 400 ☐   100 and 200 ☐   600 and 700 ☐

900 and 1000 ☐   450 and 550 ☐   850 and 950 ☐

Numbers to 1000: ordering

Write the missing numbers.

21	22				26	27			30
	32	33					38		
41	42					47	48		
		53	54					59	60
			64	65			68		
71					76	77			
	82	83	84					89	
		93		95			98		

Colour red the number

| after 31 | after 84 | after 50 | after 99 |

Colour blue the number

| before 27 | before 100 | before 69 | before 41 |

Colour green the number

| between 43 and 45 | between 59 and 61 |

Colour yellow all the numbers

| between 56 and 60 | between 88 and 93 |

Numbers to 100: sequences

Write the number after

Write the number before

Write the number between

22 and 24   96 and 98   80 and 82   69 and 71

Write the missing numbers.

24	25	26							
							63	64	65
			71	72	73				
		94	95	96					

Numbers to 100: after, before, between

3

Write the number

one more than

| 25 | | 40 | | 37 | | 49 | |

two more than

| 72 | | 53 | | 89 | | 98 | |

one less than

| 81 | | 44 | | 32 | | 100 | |

two less than

| 99 | | 72 | | 50 | | 61 | |

Match.

1 less than 40   2 more than 29   2 less than 91

31   39   89   98   100

1 more than 88   2 less than 100   2 more than 98

How many?

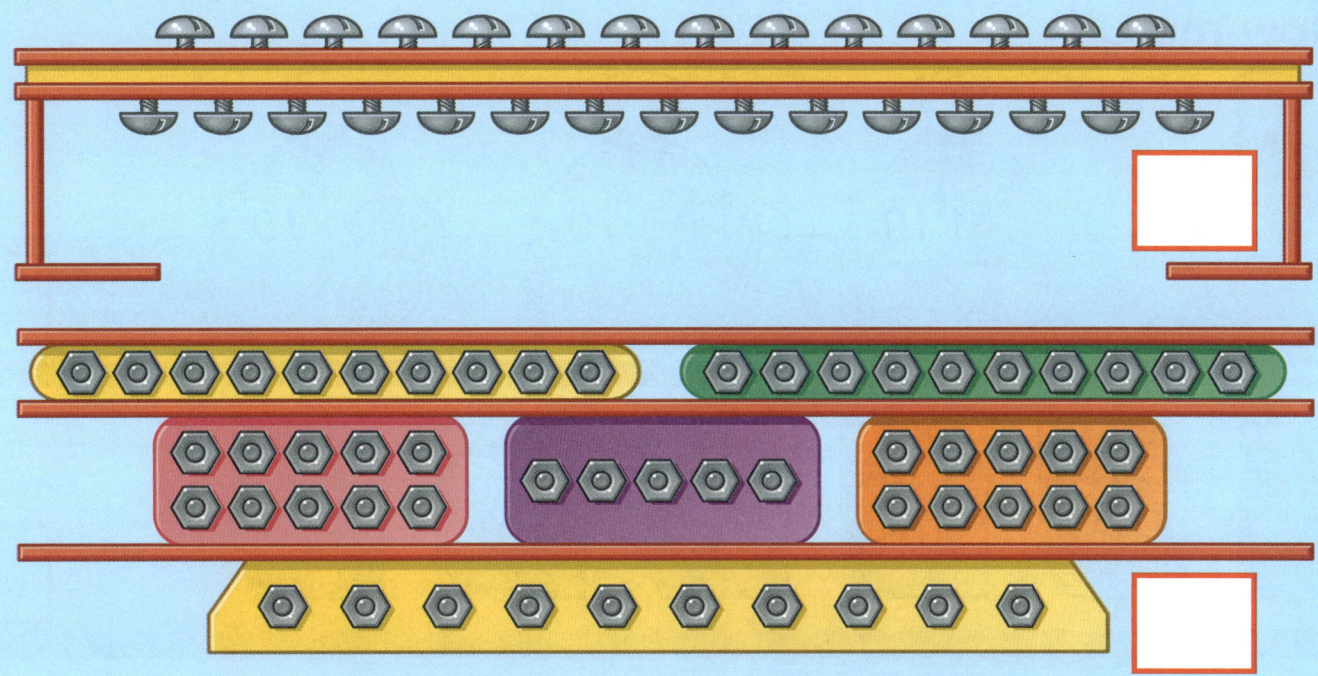

Draw 33 🪛.

Make 46.

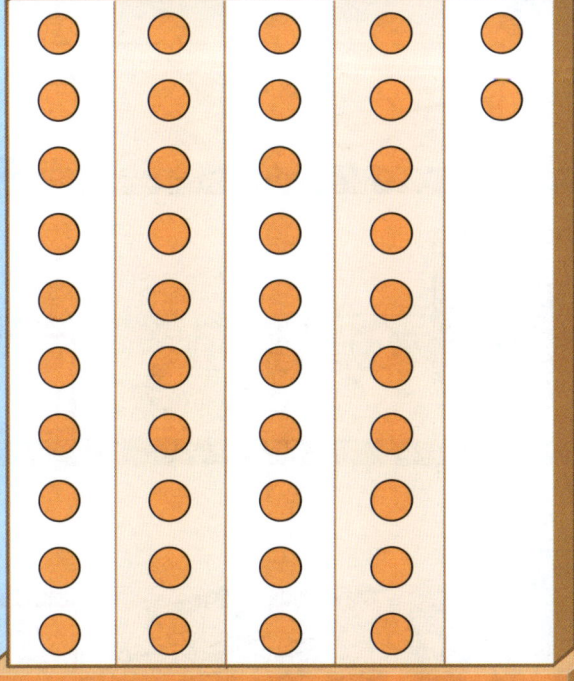

Make 54.

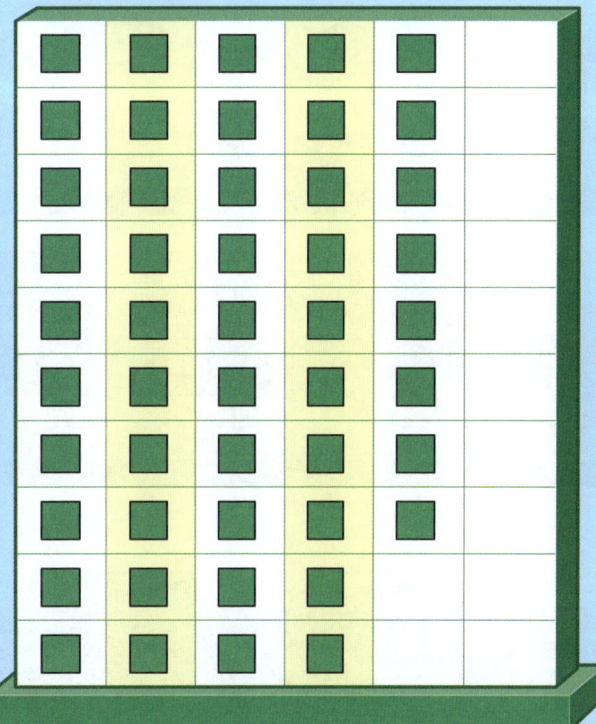

Numbers to 100: counting in ones

How many?

Numbers to 100: counting in tens

How much altogether?

6

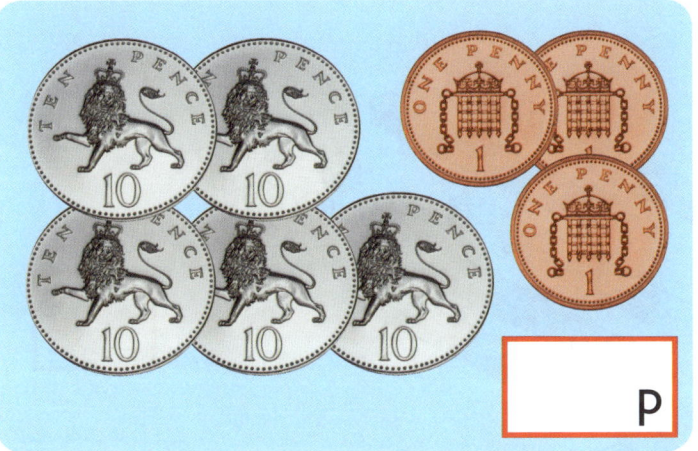
p

p

p

Use 10p and 1p coins. Complete.

60p and 8p

_____ and _____

_____ _____

_____ _____

_____ and _____

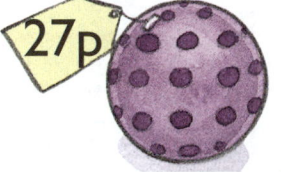
_____ and _____

_____ _____

_____ _____

Numbers to 100: place value

7

How many altogether?

  ☐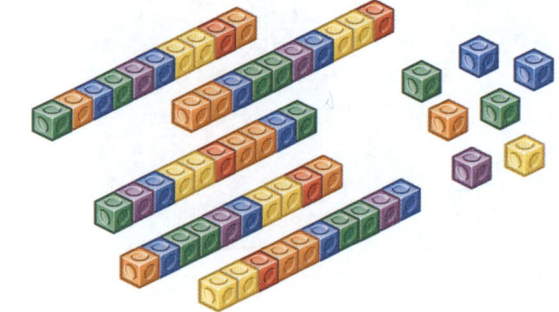

   ☐      ☐

  forty-nine

49 = 40 + 9

25 = ___ + ___	58 = ___ + ___	74 = ___ + ___
86 = ___ + ___	23 = ___ + ___	41 = ___ + ___
33 = ___ + ___	72 = ___ + ___	97 = ___ + ___

Colour to match.

| 80 and 4 | 62 | 46 | 60 + 2 |
| 99 | 40 and 6 | 90 + 9 | 84 |

Numbers to 100: place value   CHECK-UP 7

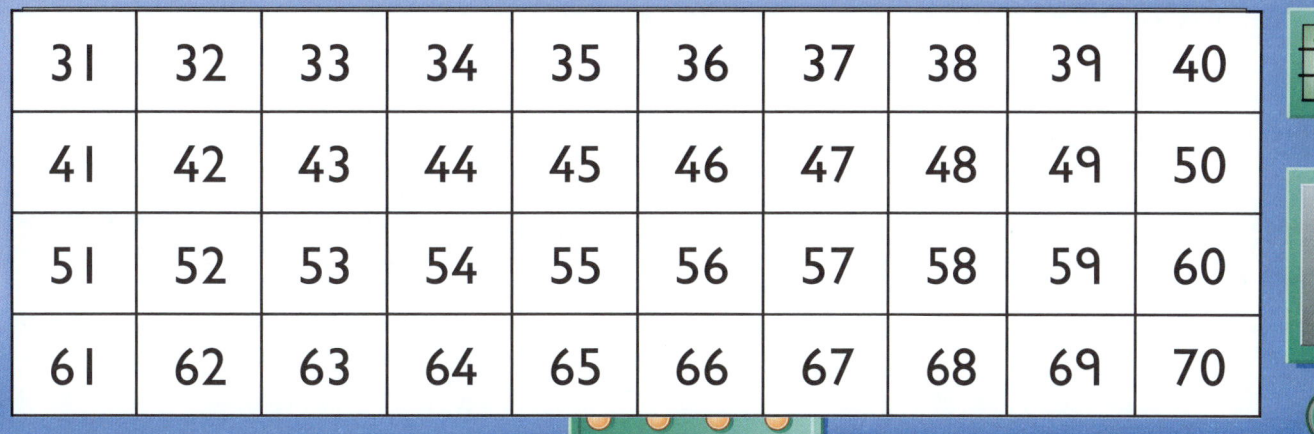

Colour red 10 more than

35   58   44   60   36   53   47   51

Colour yellow 10 less than

65   42   48   57   43   66   54   49

Complete.

20 and 10 more is ◯ and 10 more is ◯

46 +10 ☐ +10 ☐ +10 ☐ +10 ☐

77 and 10 less is ◯ and 10 less is ◯

69 −10 ☐ −10 ☐ −10 ☐ −10 ☐

22	32	42					
15	25	35					
96	86	76					
81	71	61					

Numbers to 100: 10 more/less

Colour the **larger** number red.

| 36 | 72 | | 63 | 47 | | 91 | 93 |

Colour the **smaller** number blue.

| 23 | 45 | | 81 | 69 | | 76 | 75 |

Use 6 and 5. Write a number

larger than 60 _____   **smaller** than 60. _____

Colour the **largest** number red.
Colour the **smallest** number blue.

Write more numbers.

40 is the middle number.

55 is the largest number.

Numbers to 100: comparing

Write in order.

| 42 | | | |

| 13 | | | |

| 66 | | | |

| 100 | | | |

Write in order.

Start with the **largest** number.

| | | | | |

Start with the **smallest** number.

| | | | | |

smallest | | | 62 | | | largest

The largest number is 10 more than 65.

The smallest number is 10 less that 50.

Choose a number for each empty box.

Write the missing numbers.

Count in twos. How many children? _____

Numbers to 100: counting in twos

Colour even numbers .   Colour odd numbers .

1	2	3	4	5
6	7	8	9	10
11	12	13	14	15
16	17	18	19	20
21	22	23	24	25
26	27	28	29	30

9	10	11	12
13	14	15	16
17	18	19	20
21	22	23	24
25	26	27	28
29	30	31	32

Write the missing numbers.

4   6   8   ___   ___   14   ___

7   9   11   ___   ___   ___   ___

18   16   14   ___   10   ___   ___

29   27   25   ___   ___   ___   ___

Circle the odd numbers.

(35)   22   25   13
   18
7   29   36   41

Numbers to 100: odd and even

Count in threes. Colour.

| 0 | 1 | 2 | 3 | 4 | 5 | 6 | 7 | 8 | 9 | 10 |

| | | | | | | | | | | 11 |

| 22 | 21 | 20 | 19 | 18 | 17 | 16 | 15 | 14 | 13 | 12 |

| 23 |

| 24 | 25 | 26 | 27 | 28 | 29 | 30 | 31 | 32 | 33 |

Count in fours. Colour.

0	1	2	3	4	5	6	7	8	9
10	11	12	13	14	15	16	17	18	19
20	21	22	23	24	25	26	27	28	29
30	31	32	33	34	35	36	37	38	39

Write the missing numbers.

0   5   10   ___   ___

25   30   35   ___   ___

3   6   9   ___   ___

0   4   8   ___   16   ___

21   18   15   12   ___   ___

28   24   20   ___   ___

How many?

Numbers to 100: counting in threes, fours and fives

Write the **even** numbers between

Write **two** numbers between

Write numbers between

Write the number halfway between

10 and 20 → ☐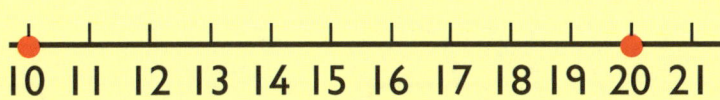

19 and 23 → ☐

26 and 34 → ☐

31 and 37 → ☐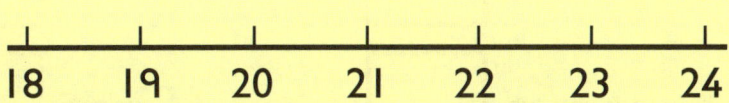

15 Estimate the numbers.

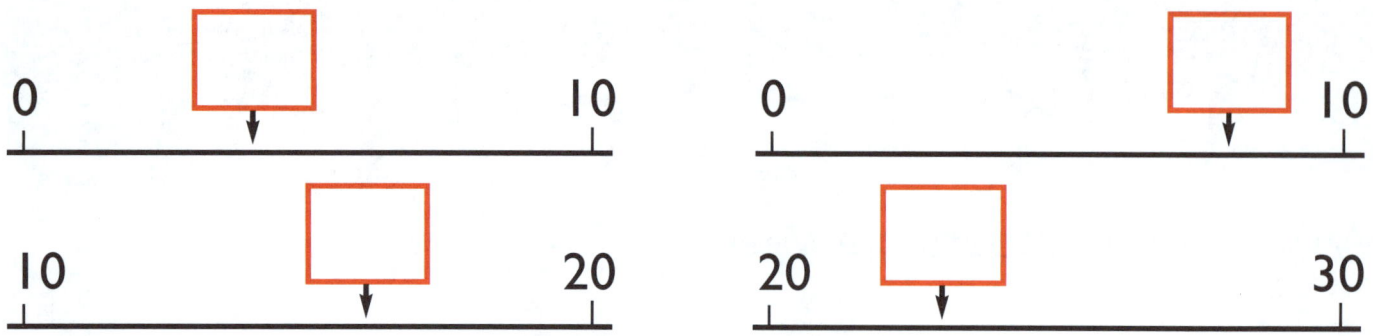

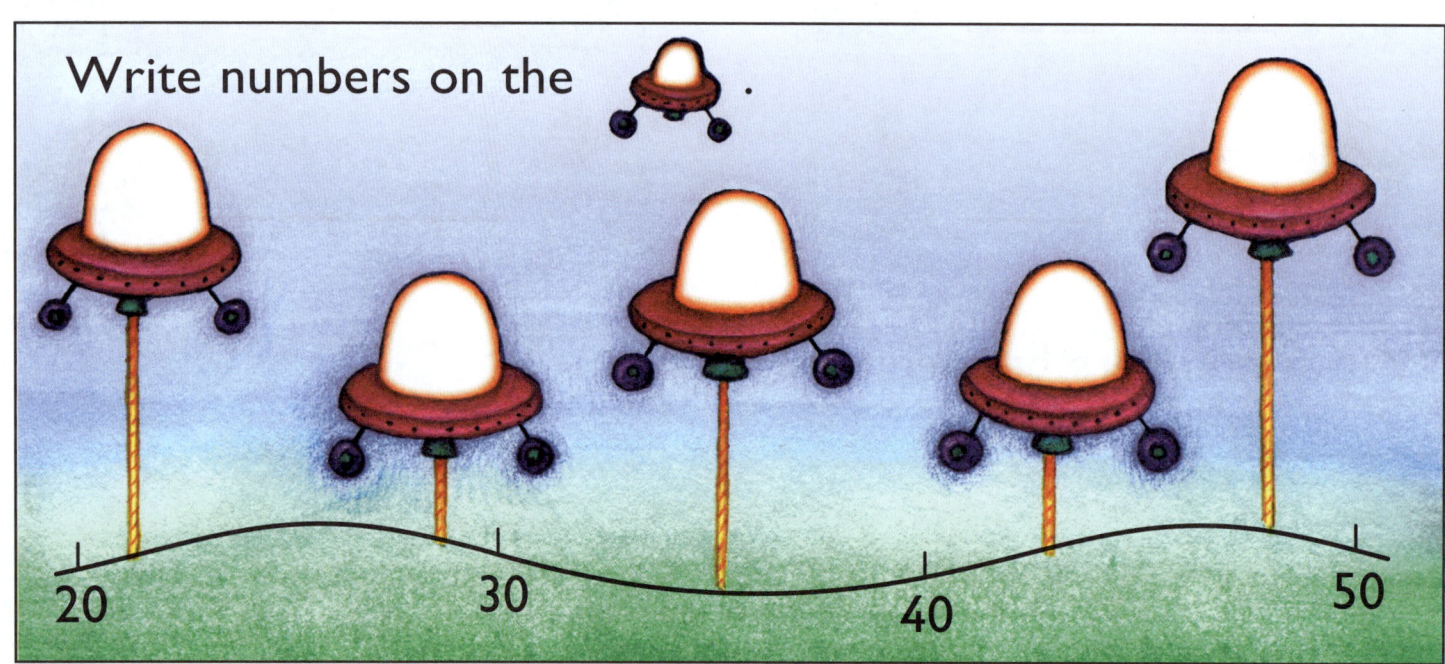

Write numbers on the 🛸.

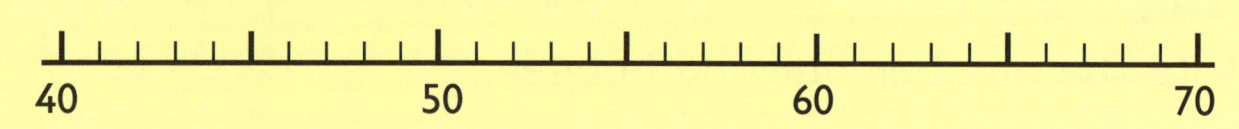

Write to the nearest ten:

53 → ☐   57 → ☐   44 → ☐

66 → ☐   48 → ☐   62 → ☐

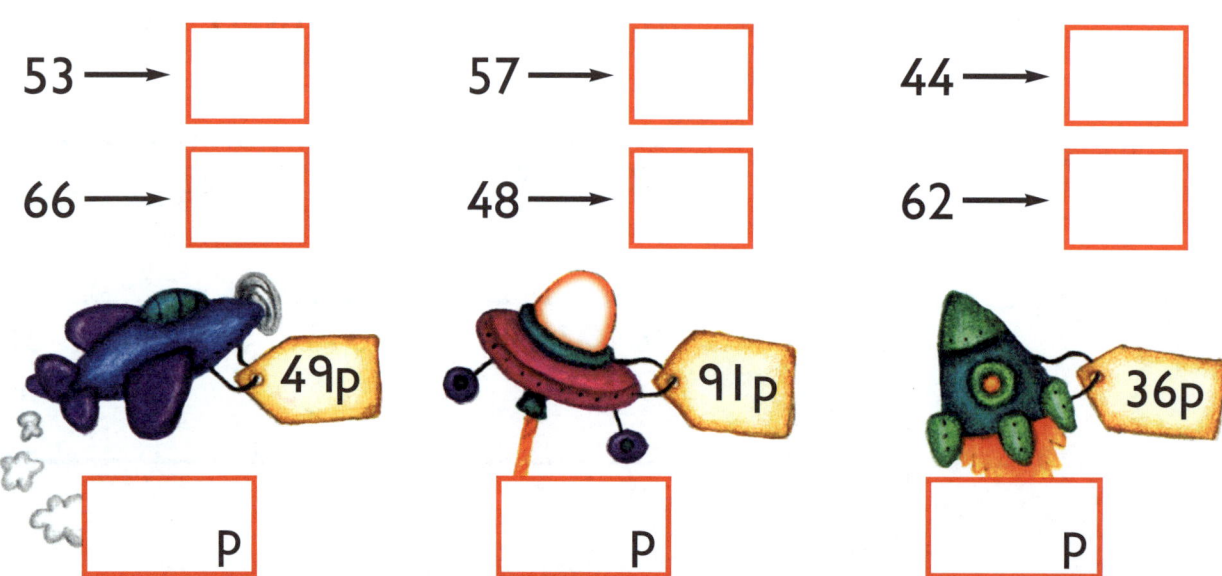

49p   91p   36p

☐ p   ☐ p   ☐ p

Numbers to 100: estimating and rounding

1 Write the missing numbers.

41	42	43							50
			54	55			58	59	
		63			66	67			

2 Write the number

after 89 ☐   before 30 ☐

between 73 and 75 ☐   1 more than 25 ☐

2 more than 39 ☐   2 less than 100 ☐

3 How much altogether? ☐ p

64 = 60 +   38 = ☐ + ☐   52 = ☐ + ☐

4 Complete.

10 more than 74 ☐   10 less than 46 ☐

23 — 33 — 43 — ☐ — ☐ — ☐

97 — 87 — 77 — ☐ — ☐ — ☐

Numbers to 100: assessment

17

1 Tick (✓)

the **larger** number　　the **smaller** number　　the **largest** number

(85)　(58)　　　(76)　(67)　　　(79)　(90)　(82)

---

2 Write the numbers in order.

Start with the **smallest.**
| 66 |　| 51 |　| 59 |　| 63 |

___　___　___　___

Start with the **largest.**
| 77 |　| 80 |　| 84 |　| 78 |

___　___　___　___

---

3 Write the missing numbers.

3　　6　　9　___　___　___　21　___

0　　4　　8　___　___　20　___　___

35　30　25　___　___　___　5　___

Tick (✓) the **even** numbers.

(36)　(5)　(18)　(44)　(27)　(2)

---

4 Write the number **halfway** between

18 and 24 → ☐　　18　19　20　21　22　23　24

5

30　　　　40　　　　50　　　　60

Write to the nearest ten.

38 → ☐　　　52 → ☐

Numbers to 100: assessment

Complete.

97 98 99 ___ ___ ___ ___

700 701 702 ___ ___ ___ ___

346 347 ___ 349 ___ ___ ___

595 596 597 ___ ___ ___ ___

105 104 103 ___ ___ ___ ___

474 473 ___ 471 ___ ___ ___

800 ___ ___ 797 796 ___ ___

513 512 511 ___ ___ ___ ___

Write the number

after 222 ___ after 300 ___ after 109 ___ after 199 ___

before 306 ___ before 440 ___ before 501 ___ before 900 ___

between 639 and 641 ___ between 299 and 301 ___

Numbers to 1000: sequences

19

Complete.

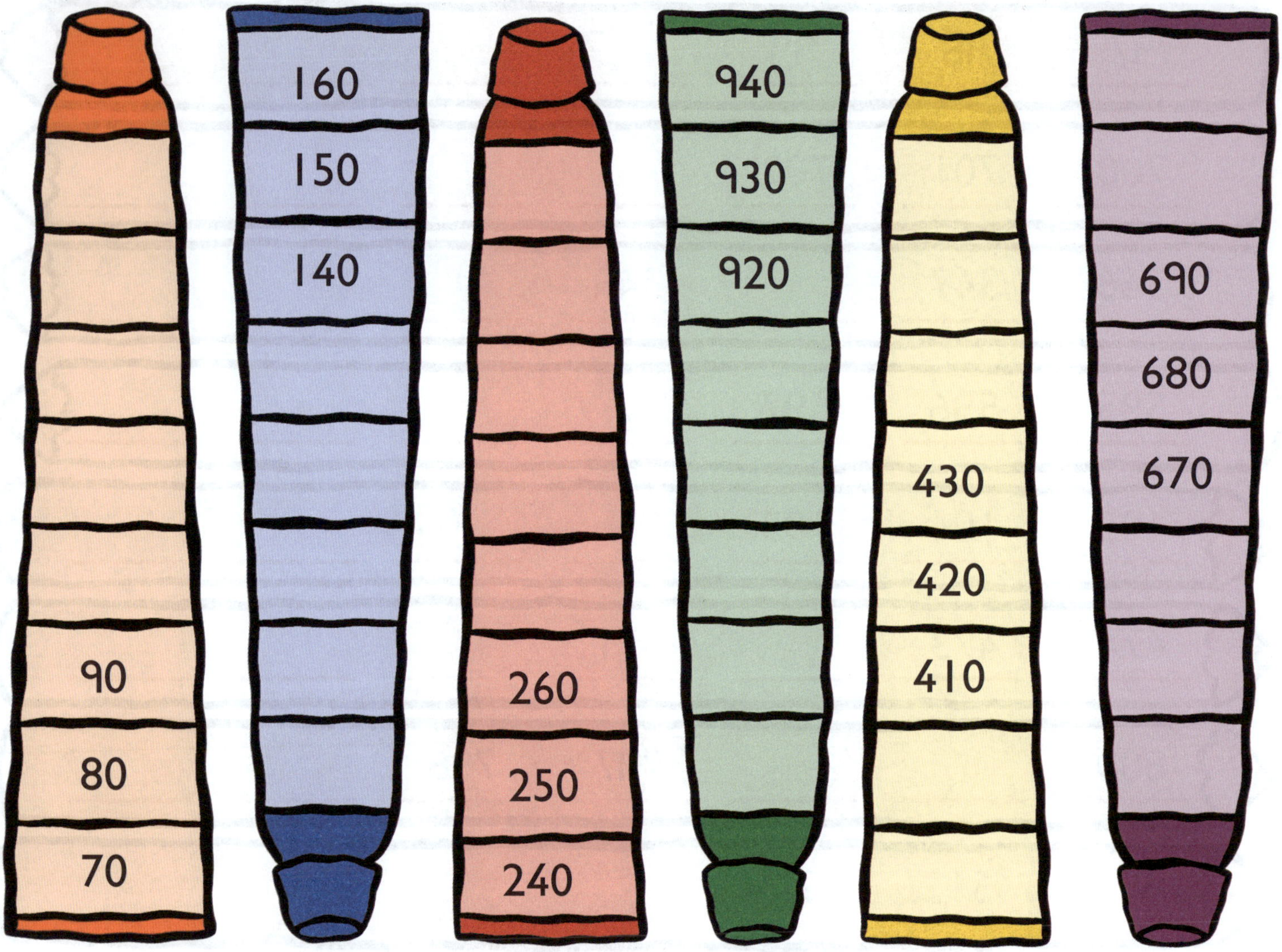

	160		940		
	150		930		690
	140		920		680
				430	670
				420	
90		260		410	
80		250			
70		240			

Write the number

ten **more** than

550 ☐   200 ☐   890 ☐

ten **less** than

220 ☐   910 ☐   400 ☐

Numbers to 1000: sequences

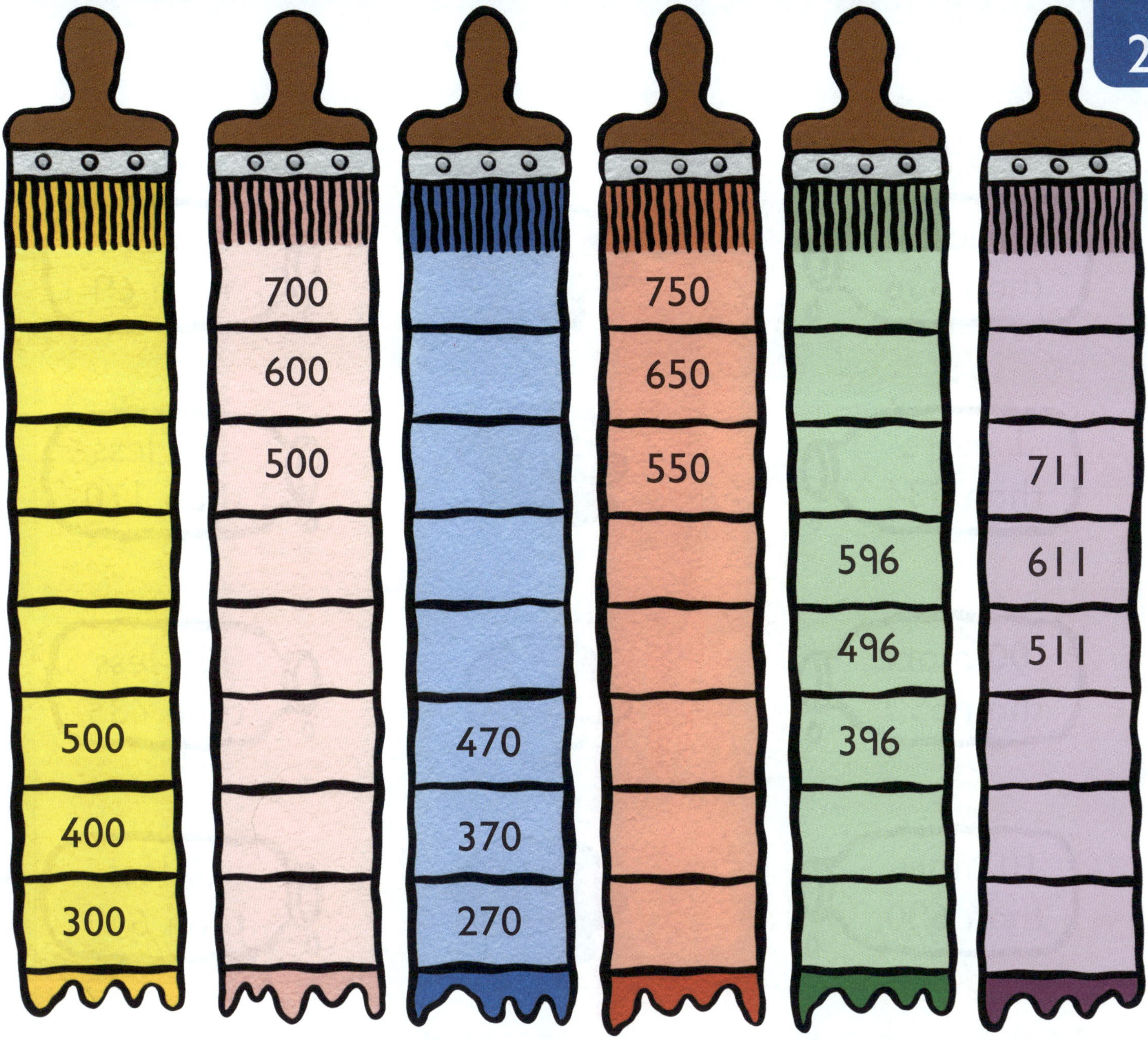

	700		750		
	600		650		
	500		550	711	
				596	611
				496	511
500		470		396	
400		370			
300		270			

Write the number

one hundred **more** than

202 ☐   630 ☐   900 ☐

one hundred **less** than

444 ☐   220 ☐   1000 ☐

Numbers to 1000: sequences

21

Colour to match.

- 1 less than 336 — 335
- 1 more than 69 — 70
- 1 more than 334 — 335
- 100 less than 170 — 70
- 100 more than 530 — 630
- 100 less than 435 — 335
- 10 more than 690 — 700
- 10 less than 640 — 630

Match.

420 550 576

400 500 600

490 529 610

Numbers to 1000: ordering

Colour the **smaller** number red.
Colour the **larger** number green.

Use ⬚5⬚ ⬚4⬚ ⬚6⬚ . Write a number

larger than 600 _____   **smaller** than 460. _____

Colour the **smallest** number red.
Colour the **largest** number green.

Who has the **largest** number? _____

Who has the **smallest** number? _____

Numbers to 1000: comparing

23

Write the numbers in order.

Start with the **smallest.**
267　189　345　263

_____

Start with the **largest.**
694　839　793　849

_____

Use 5 8 2 to make different 3-digit numbers.

_____

Write your numbers in order. Start with the **smallest.**

_____

Write **two** numbers between

740 _____ _____ 760

305 _____ _____ 315

Write the number halfway between

300 and 400 ☐　　100 and 200 ☐　　600 and 700 ☐

900 and 1000 ☐　　450 and 550 ☐　　850 and 950 ☐

Numbers to 1000: ordering

Write the missing numbers.

21	22				26	27			30
	32	33					38		
41	42				47	48			
		53	54					59	60
			64	65			68		
71					76	77			
	82	83	84					89	
		93		95			98		

Colour red the number

| after 31 | after 84 | after 50 | after 97 |

Colour blue the number

| before 27 | before 100 | before 69 | before 41 |

Colour green the number

| between 43 and 45 | between 59 and 61 |

Colour yellow all the numbers

| between 56 and 60 | between 88 and 93 |

Numbers to 100: sequences

Write the number after

Write the number before

Write the number between

 96 and 98 80 and 82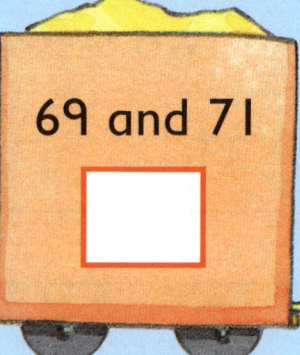

Write the missing numbers.

24	25	26						
						63	64	65
				71	72	73		
			94	95	96			

Numbers to 100: after, before, between

3

Write the number

one more than

| 25 | | 40 | | 37 | | 49 | |

two more than

| 72 | | 53 | | 89 | | 98 | |

one less than

| 81 | | 44 | | 32 | | 100 | |

two less than

| 99 | | 72 | | 50 | | 61 | |

Match.

1 less than 40   2 more than 29   2 less than 91

31   39   89   98   100

1 more than 88   2 less than 100   2 more than 98

Numbers to 100: 1 or 2 more/less

HOME ACTIVITY 12

How many?

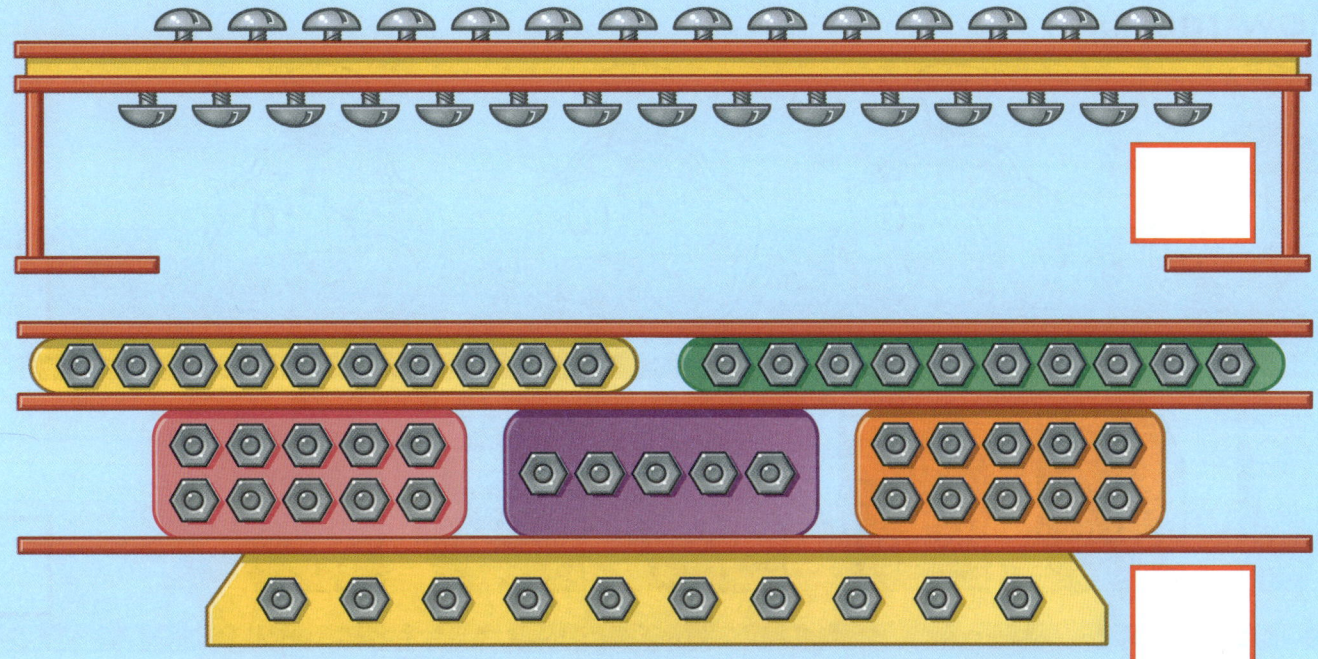

Draw 33 🔩.

Make 46.

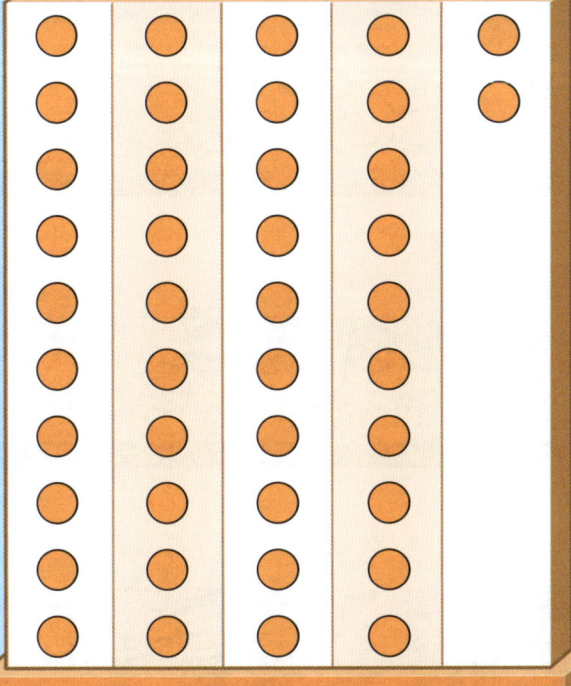

Make 54.

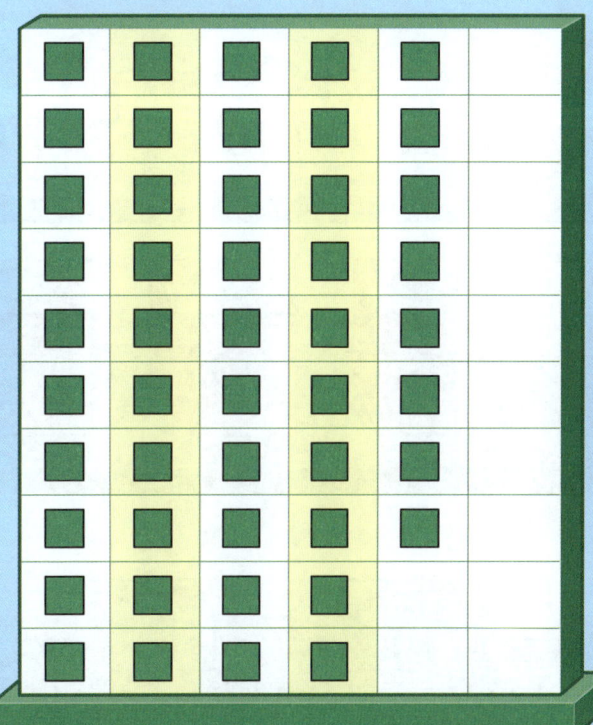

Numbers to 100: counting in ones

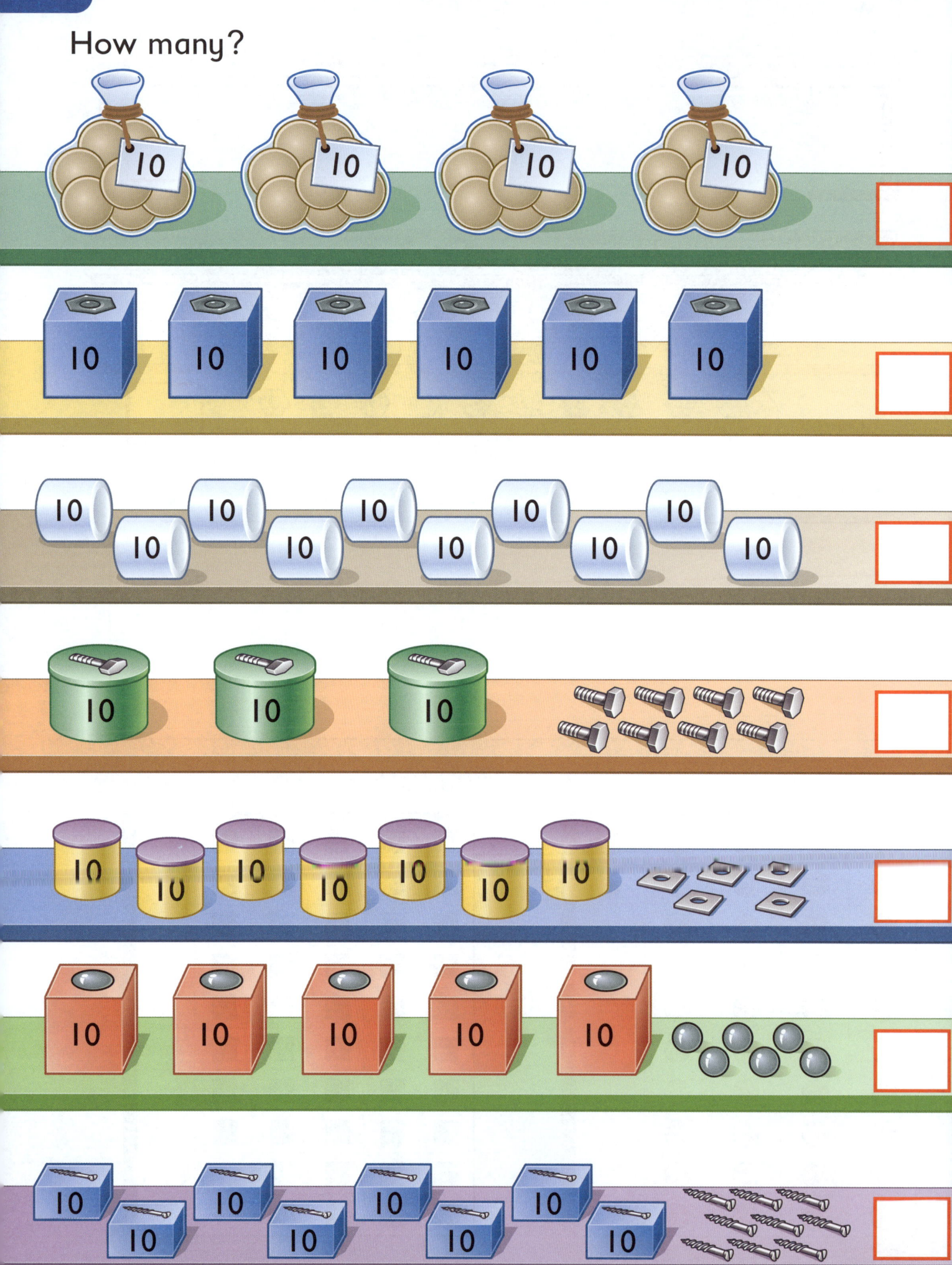

How much altogether?

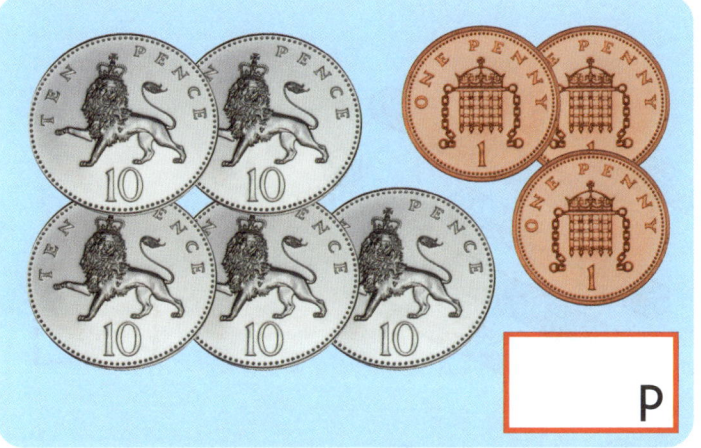

_____ p

_____ p

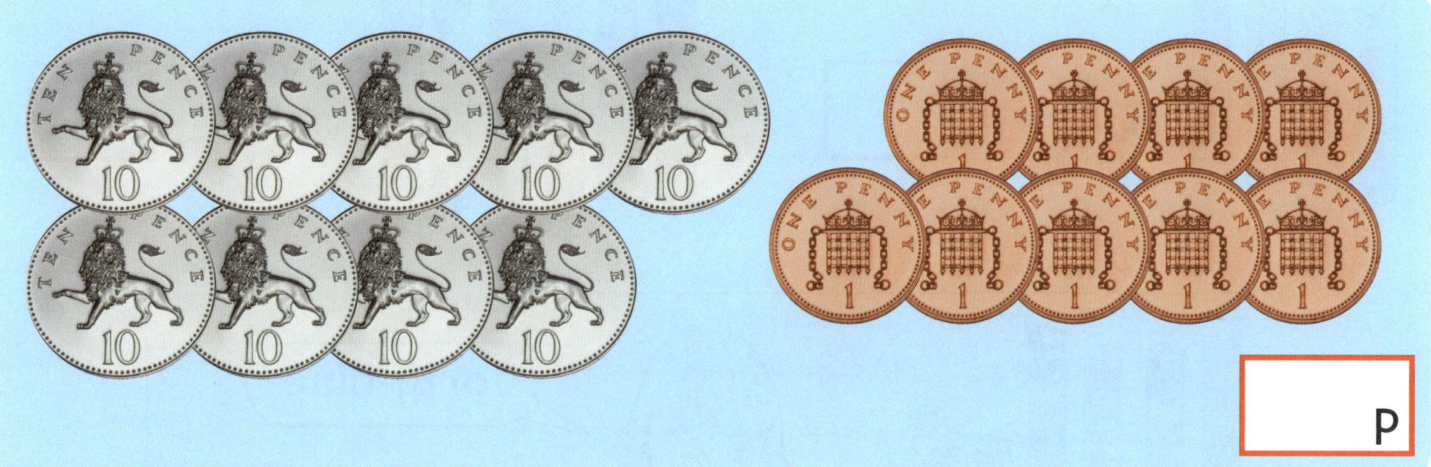

_____ p

Use 10p and 1p coins. Complete.

 68p

60p and 8p

 44p

_____ and _____

 16p

_____ and _____

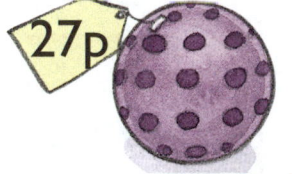 27p

_____ and _____

 82p

_____

 55p

_____

 71p

_____

 38p

_____

Numbers to 100: place value

7

How many altogether?

  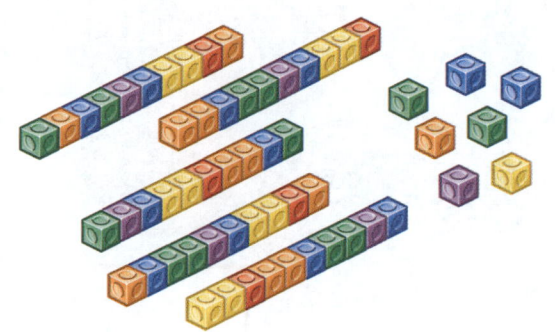 

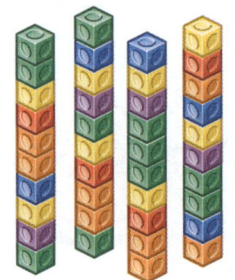    

forty-nine

$49 = 40 + 9$

25 = __ + __	58 = __ + __	74 = __ + __
86 = __ + __	23 = __ + __	41 = __ + __
33 = __ + __	72 = __ + __	97 = __ + __

Colour to match.

| 80 and 4 | 62 | 46 | 60 + 2 |
| 99 | 40 and 6 | 90 + 9 | 84 |

Numbers to 100: place value

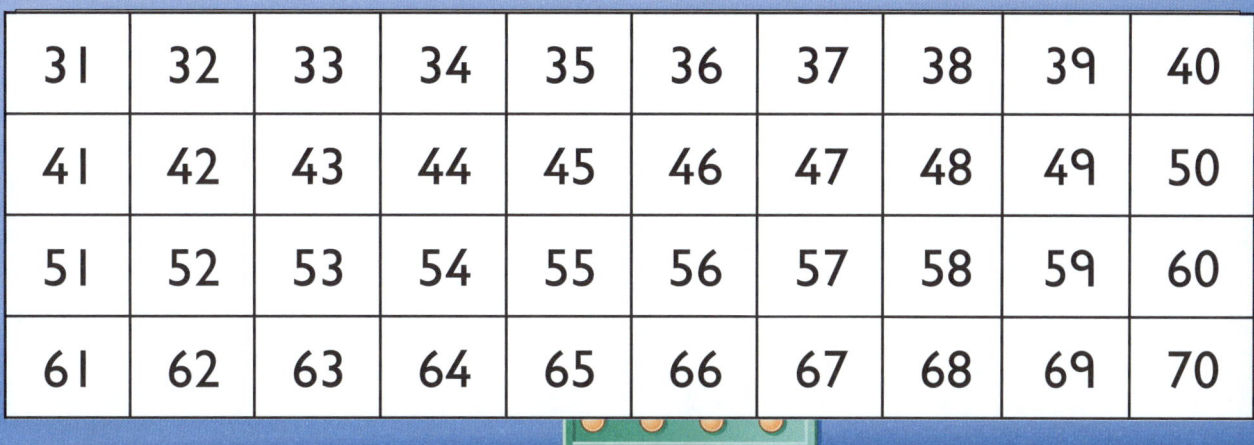

Colour red 10 more than

35 58 44 60 36 53 47 51

Colour yellow 10 less than

65 42 48 57 43 66 54 49

Complete.

20 and 10 more is ◯ and 10 more is ◯

46 +10 ☐ +10 ☐ +10 ☐ +10 ☐

77 and 10 less is ◯ and 10 less is ◯

69 −10 ☐ −10 ☐ −10 ☐ −10 ☐

| 22 | 32 | 42 | | | | |
| 15 | 25 | 35 | | | | |

| 96 | 86 | 76 | | | | |
| 81 | 71 | 61 | | | | |

Numbers to 100: 10 more/less

Colour the **larger** number red.

36   72   63   47   91   93

Colour the **smaller** number blue.

23   45   81   69   76   75

Use 6 and 5. Write a number

larger than 60 _____   **smaller** than 60. _____

Colour the **largest** number red.
Colour the **smallest** number blue.

46   62   54

78   93   84

23   21   24

Write more numbers.

40 is the middle number.

55 is the largest number.

Numbers to 100: comparing

Write in order.

Write in order.

Start with the **largest** number.

Start with the **smallest** number.

smallest ☐ ☐ 62 ☐ ☐ largest

The largest number is 10 more than 65.

The smallest number is 10 less that 50.

Choose a number for each empty box.

Colour even numbers .   Colour odd numbers .

1	2	3	4	5
6	7	8	9	10
11	12	13	14	15
16	17	18	19	20
21	22	23	24	25
26	27	28	29	30

9	10	11	12
13	14	15	16
17	18	19	20
21	22	23	24
25	26	27	28
29	30	31	32

Write the missing numbers.

4   6   8   ___   ___   14   ___

7   9   11   ___   ___   ___   ___

18   16   14   ___   10   ___   ___

29   27   25   ___   ___   ___   ___

Circle the odd numbers.

(35)   22   25   13
        7   18
                29   36   41

Numbers to 100: odd and even

13

Count in threes. Colour.

| 0 | 1 | 2 | 3 | 4 | 5 | 6 | 7 | 8 | 9 | 10 |

| | | | | | | | | | | 11 |

| 22 | 21 | 20 | 19 | 18 | 17 | 16 | 15 | 14 | 13 | 12 |

| 23 |

| 24 | 25 | 26 | 27 | 28 | 29 | 30 | 31 | 32 | 33 |

Count in fours. Colour.

0	1	2	3	4	5	6	7	8	9
10	11	12	13	14	15	16	17	18	19
20	21	22	23	24	25	26	27	28	29
30	31	32	33	34	35	36	37	38	39

Write the missing numbers.

0   5   10   ___   ___

25   30   35   ___   ___

3   6   9   ___   ___

0   4   8   ___   16   ___

21   18   15   12   ___   ___

28   24   20   ___   ___

How many?

Numbers to 100: counting in threes, fours and fives

Write the **even** numbers between

Write **two** numbers between

Write numbers between

Write the number halfway between

10 and 20 ⟶ ☐

19 and 23 ⟶ ☐

26 and 34 ⟶ ☐

31 and 37 ⟶ ☐

Numbers to 100: numbers between

Estimate the numbers.

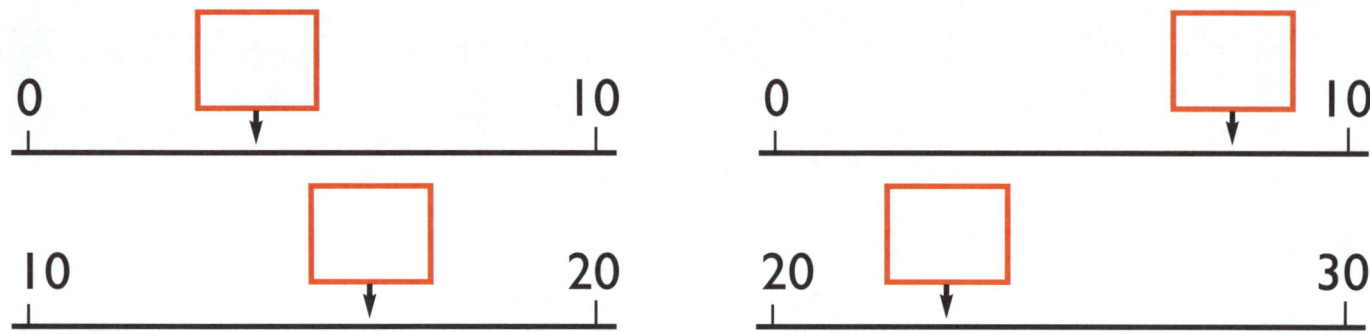

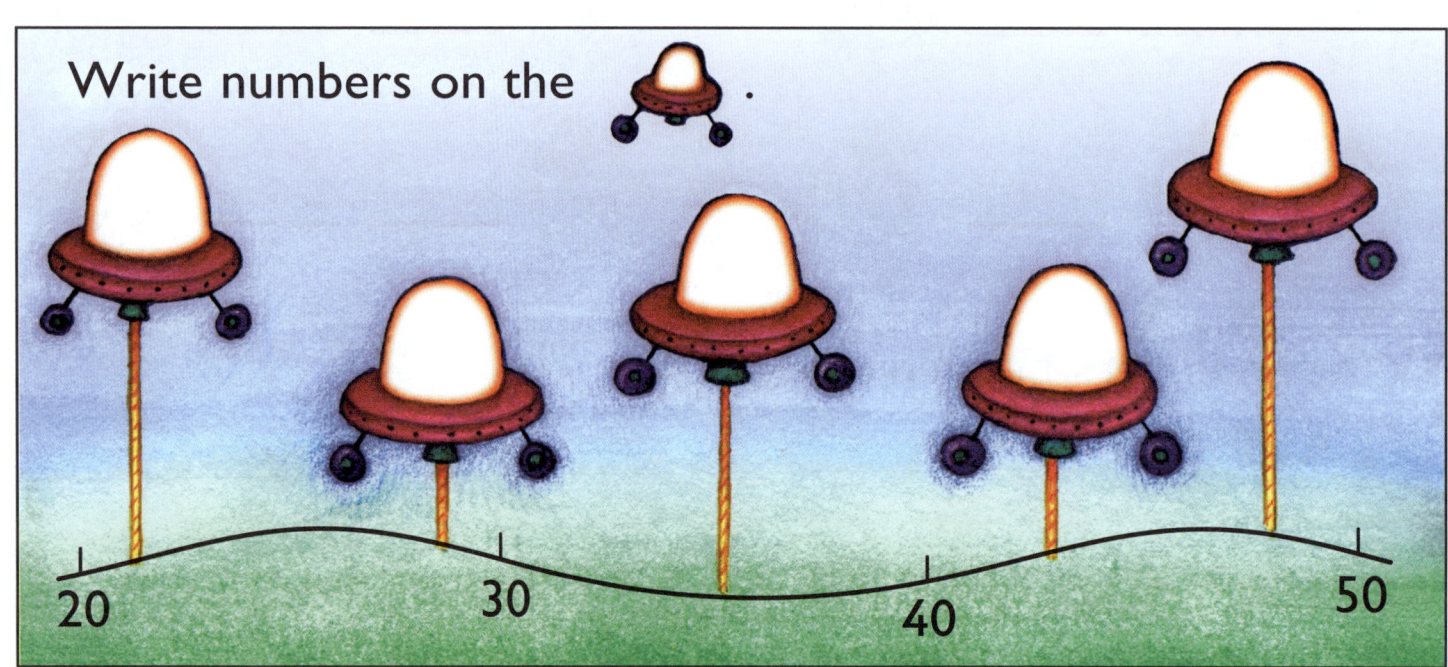

Write numbers on the UFO.

Write to the nearest ten:

53 → ☐   57 → ☐   44 → ☐

66 → ☐   48 → ☐   62 → ☐

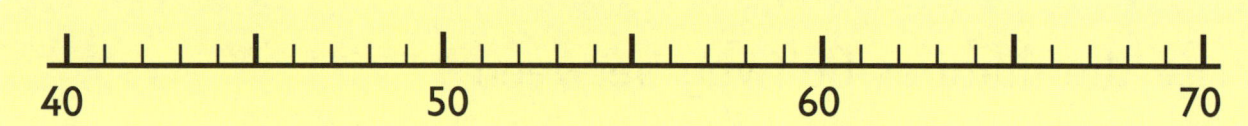

☐ p   ☐ p   ☐ p

Numbers to 100: estimating and rounding

1 Write the missing numbers.

41	42	43							50
			54	55			58	59	
		63			66	67			

2 Write the number

after 89 ☐   before 30 ☐

between 73 and 75 ☐   1 more than 25 ☐

2 more than 39 ☐   2 less than 100 ☐

3 How much altogether? ☐ p

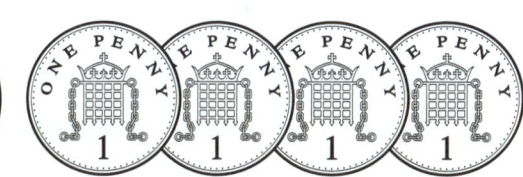

64 = 60 +   38 =   +   52 =   +

4 Complete.

10 more than 74 ☐   10 less than 46 ☐

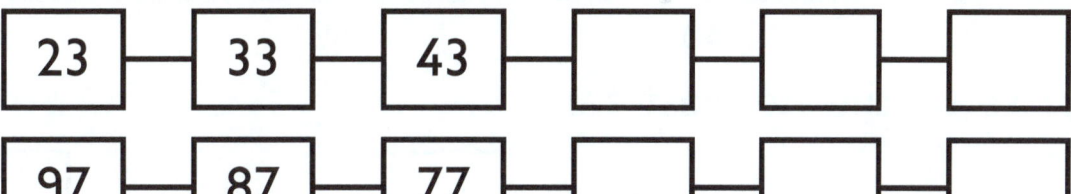

Numbers to 100: assessment

1 Tick (✓)

the **larger** number   the **smaller** number   the **largest** number

(85) (58)   (76) (67)   (79) (90) (82)

2 Write the numbers in order.

Start with the **smallest.**
| 66 | 51 | 59 | 63 |

___ ___ ___ ___

Start with the **largest.**
| 77 | 80 | 84 | 78 |

___ ___ ___ ___

3 Write the missing numbers.

3   6   9   ___   ___   ___   21   ___

0   4   8   ___   ___   20   ___   ___

35   30   25   ___   ___   ___   5   ___

Tick (✓) the **even** numbers.

(36)   (5)   (18)   (44)   (27)   (2)

4 Write the number **halfway** between

18 and 24 → ☐   18 19 20 21 22 23 24

5 30 .... 40 .... 50 60

Write to the nearest ten.

38 → ☐   52 → ☐

Complete.

97 98 99 ___ ___ ___

700 701 702 ___ ___ ___

346 347 ___ 349 ___ ___

595 596 597 ___ ___ ___

105 104 103 ___ ___ ___

474 473 ___ 471 ___ ___

800 ___ ___ 797 796 ___

513 512 511 ___ ___ ___

Write the number

after 222 after 300 after 109 after 199

before 306 before 440 before 501 before 900

between 639 and 641   between 299 and 301

Numbers to 1000: sequences

19

Complete.

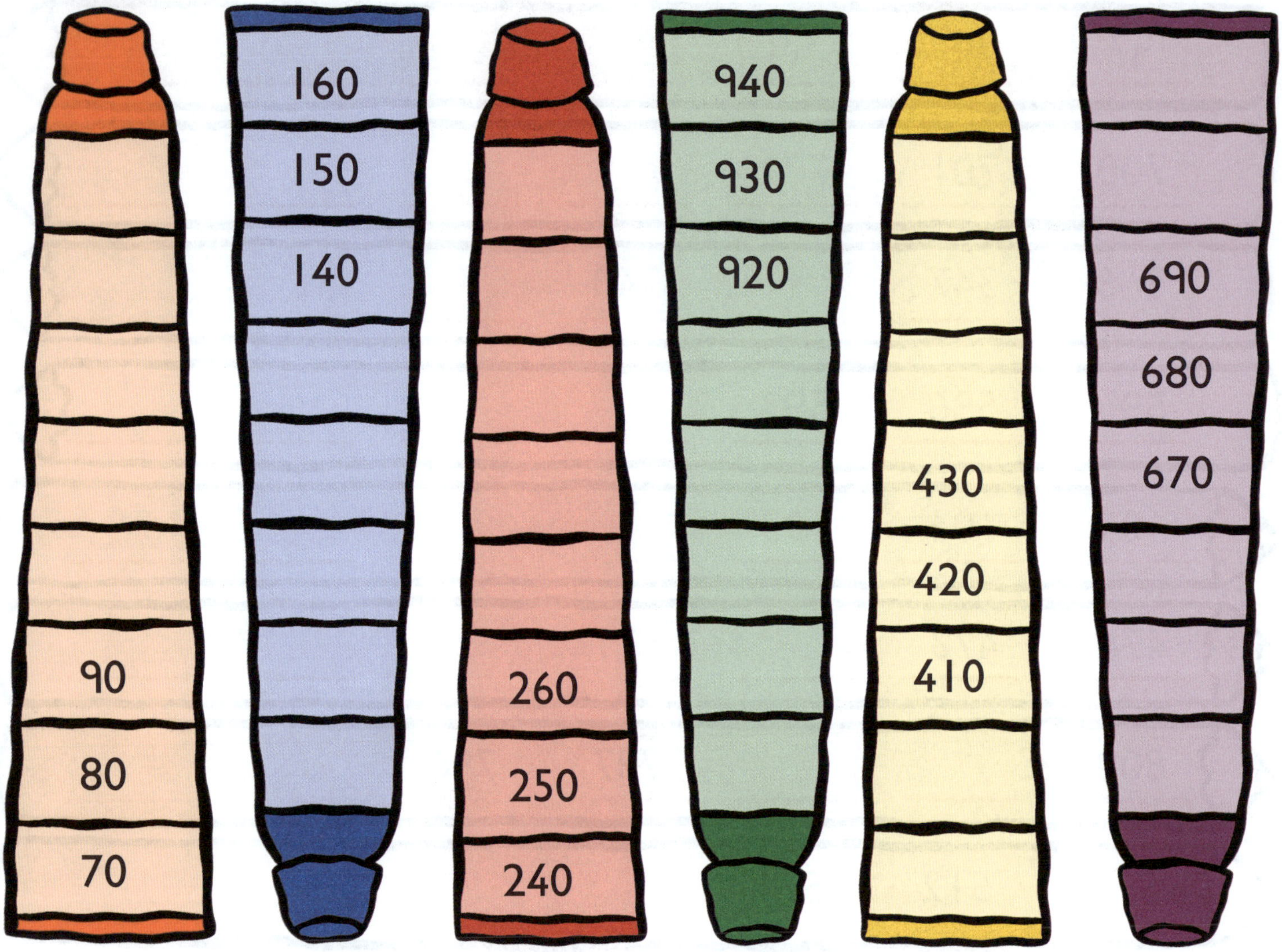

	160		940		
	150		930		690
	140		920		680
				430	670
				420	
90		260		410	
80		250			
70		240			

Write the number

ten **more** than

550 ☐   200 ☐   890 ☐

ten **less** than

220 ☐   910 ☐   400 ☐

Numbers to 1000: sequences

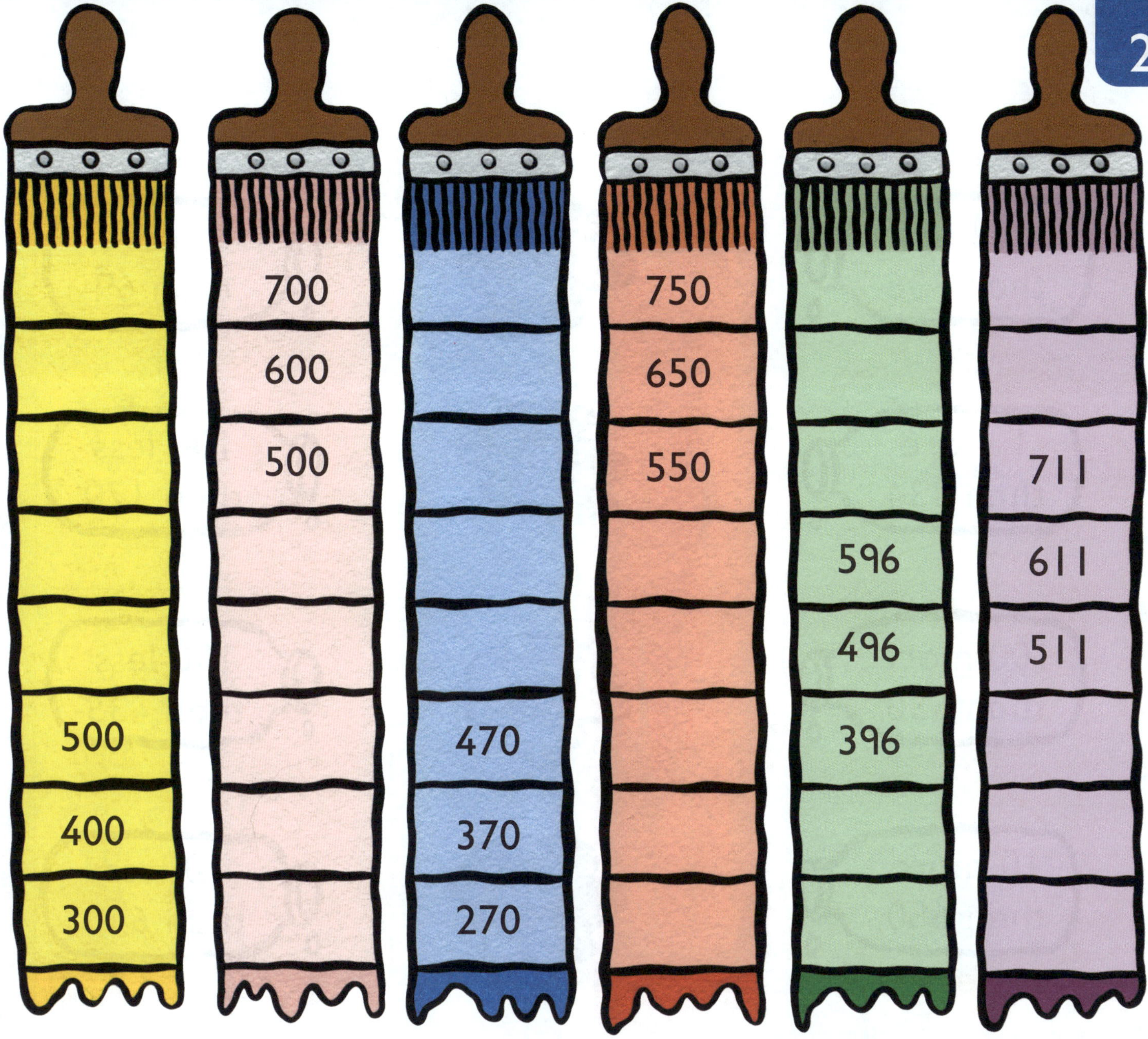

20

	700		750		
	600		650		
	500		550	711	
				596	611
				496	511
500		470	396		
400		370			
300		270			

Write the number

one hundred **more** than

202 ☐   630 ☐   900 ☐

one hundred **less** than

444 ☐   220 ☐   1000 ☐

Numbers to 1000: sequences

21

Colour to match.

- 1 less than 336 → 335
- 1 more than 69 → 70
- 1 more than 334 → 335
- 100 less than 170 → 70
- 100 more than 530 → 630
- 100 less than 435 → 335
- 10 more than 690 → 700
- 10 less than 640 → 630

Match.

420   550   576
400   500   600
490   529   610

Numbers to 1000: ordering

Colour the **smaller** number red.
Colour the **larger** number green.

Use ⬚5 ⬚4 ⬚6 . Write a number

larger than 600 _____   **smaller** than 460. _____

Colour the **smallest** number red.
Colour the **largest** number green.

Who has the **largest** number? _____

Who has the **smallest** number? _____

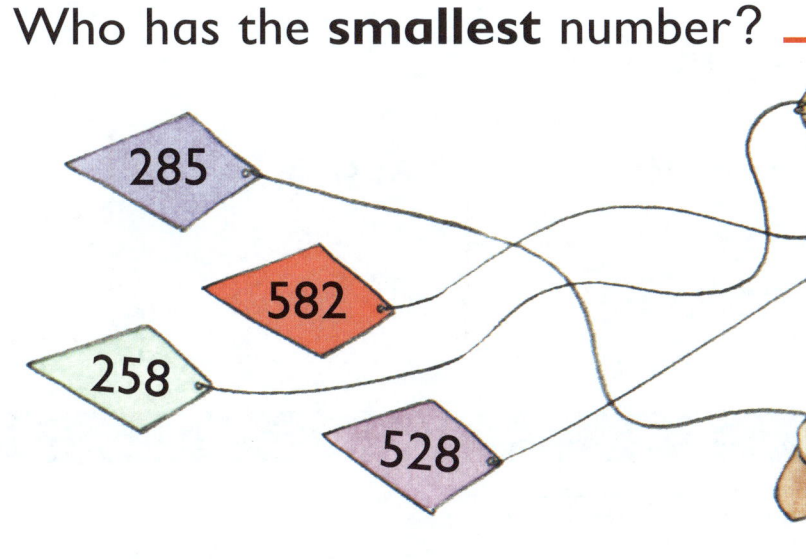 

Numbers to 1000: comparing

23

Write the numbers in order.

Start with the smallest.

267 189 345 263

___ ___ ___ ___

Start with the largest.

694 839 793 849

___ ___ ___ ___

Use 5 8 2 to make different 3-digit numbers.

___ ___ ___ ___ ___ ___

Write your numbers in order. Start with the **smallest**.

___ ___ ___ ___ ___ ___

Write **two** numbers between

740 ___ ___ 760   305 ___ ___ 315

0 100 200 300 400 500 600 700 800 900 1000

Write the number halfway between

300 and 400 ☐   100 and 200 ☐   600 and 700 ☐

900 and 1000 ☐   450 and 550 ☐   850 and 950 ☐

Numbers to 1000: ordering

1

Write the missing numbers.

21	22				26	27			30
	32	33					38		
41	42					47	48		
		53	54					59	60
			64	65			68		
71					76	77			
	82	83	84					89	
		93		95			98		

Colour red the number

| after 31 | after 84 | after 50 | after 99 |

Colour blue the number

| before 27 | before 100 | before 69 | before 41 |

Colour green the number

| between 43 and 45 | between 59 and 61 |

Colour yellow all the numbers

| between 56 and 60 | between 88 and 93 |

Numbers to 100: sequences

Write the number after

Write the number before

Write the number between

22 and 24   96 and 98   80 and 82   69 and 71

Write the missing numbers.

24	25	26					
					63	64	65
			71	72	73		
		94	95	96			

Numbers to 100: after, before, between

3

Write the number

one more than

| 25 | | 40 | | 37 | | 49 | |

two more than

| 72 | | 53 | | 89 | | 98 | |

one less than

| 81 | | 44 | | 32 | | 100 | |

two less than

| 99 | | 72 | | 50 | | 61 | |

Match.

1 less than 40   2 more than 29   2 less than 91

31   39   89   98   100

1 more than 88   2 less than 100   2 more than 98

Numbers to 100: 1 or 2 more/less

HOME ACTIVITY 12

How many?

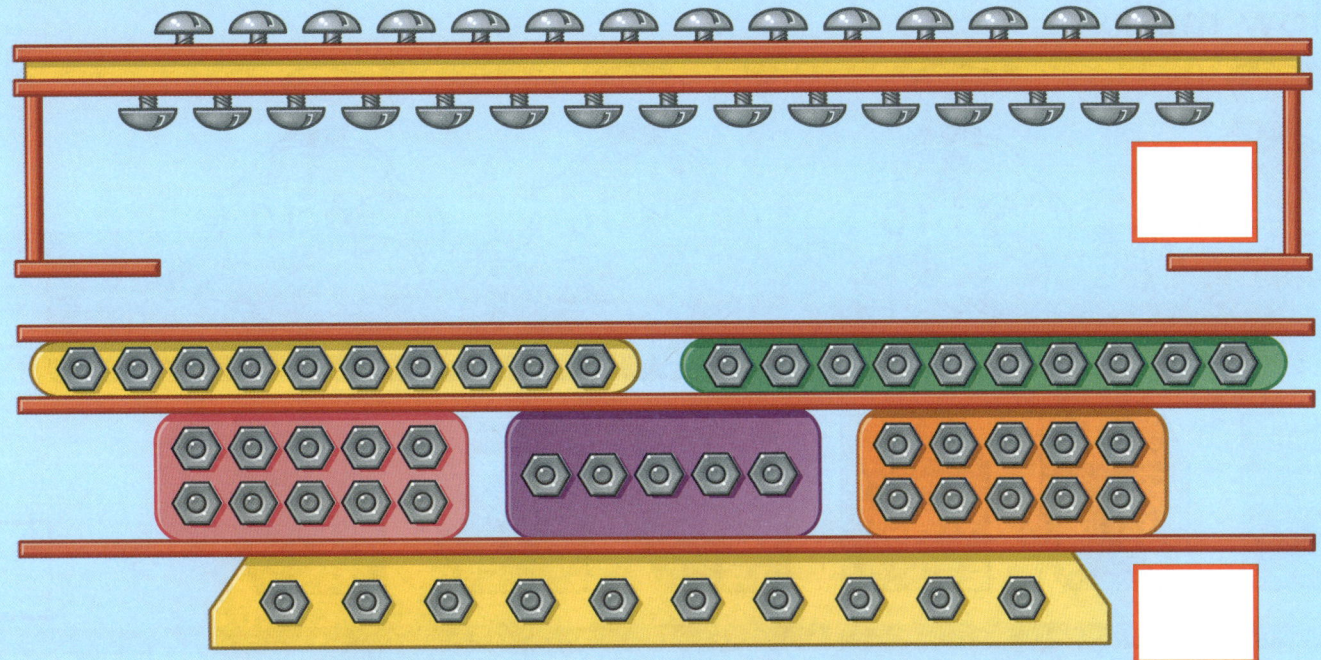

Draw 33 🔩.

Make 46.

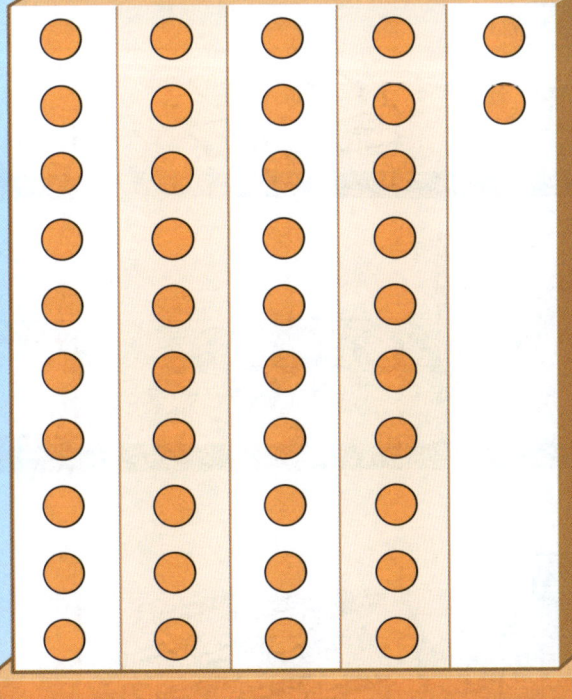

Make 54.

Numbers to 100: counting in ones

5

How many?

Numbers to 100: counting in tens

How much altogether?

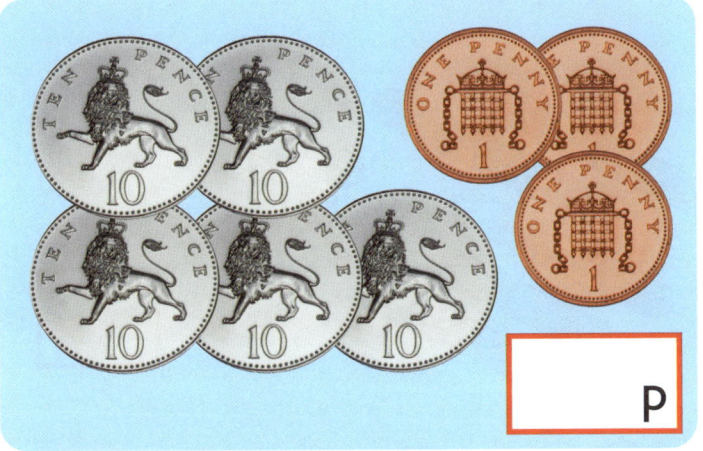

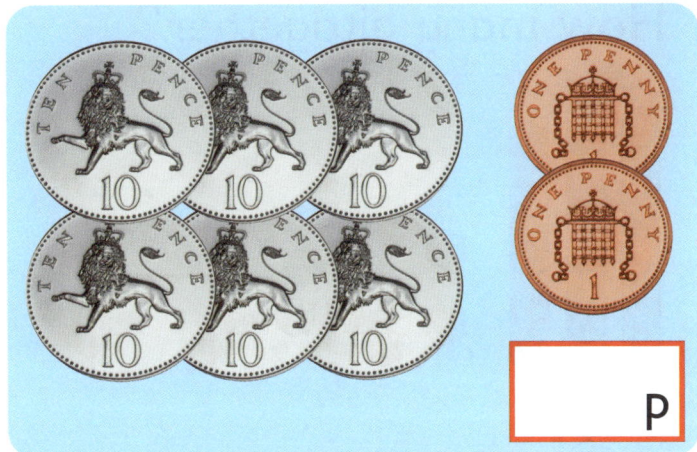

Use 10p and 1p coins. Complete.

 68p

60p and 8p

 16p

___ and ___

 82p

___ and ___

 71p

___ and ___

 44p

___ and ___

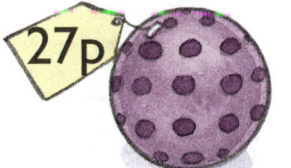 27p

___ and ___

 55p

___ and ___

 38p

___ and ___

Numbers to 100: place value

7

How many altogether?

  ☐   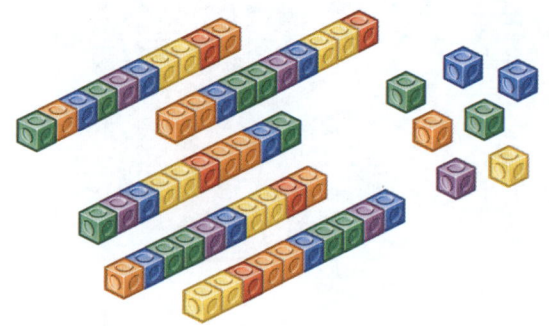  ☐

   ☐      ☐

  forty-nine

49 = 40 + 9

25 = +	58 = +	74 = +
86 = +	23 = +	41 = +
33 = +	72 = +	97 = +

Colour to match.

| 80 and 4 | 62 | 46 | 60 + 2 |
| 99 | 40 and 6 | 90 + 9 | 84 |

Numbers to 100: place value

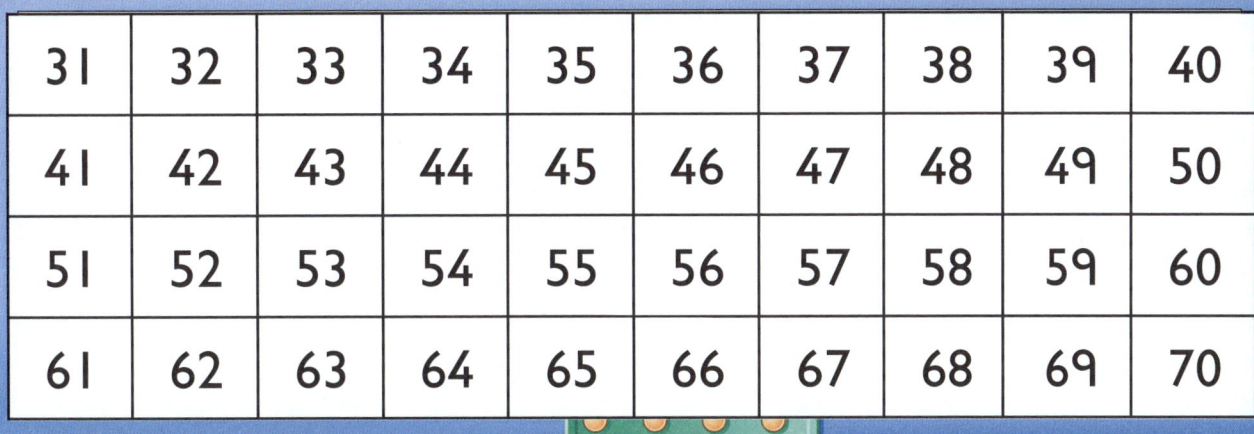

Colour red 10 more than

35   58   44   60   36   53   47   51

Colour yellow 10 less than

65   42   48   57   43   66   54   49

Complete.

20 and 10 more is ◯ and 10 more is ◯

46 →+10→ ☐ →+10→ ☐ →+10→ ☐ →+10→ ☐

77 and 10 less is ◯ and 10 less is ◯

69 →−10→ ☐ →−10→ ☐ →−10→ ☐ →−10→ ☐

22	32	42					
15	25	35					
96	86	76					
81	71	61					

Numbers to 100: 10 more/less

Colour the **larger** number red.

| 36 | 72 | | 63 | 47 | | 91 | 93 |

Colour the **smaller** number blue.

| 23 | 45 | | 81 | 69 | | 76 | 75 |

Use 6 and 5. Write a number

larger than 60 _____   **smaller** than 60. _____

Colour the **largest** number red.
Colour the **smallest** number blue.

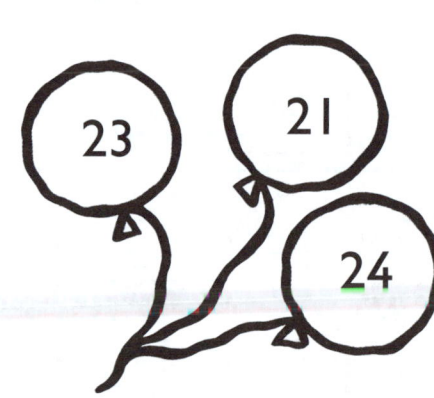

Write more numbers.

40 is the middle number.

55 is the largest number.

Numbers to 100: comparing

Write in order.

Write in order.

Start with the **largest** number.

Start with the **smallest** number.

smallest  largest

The largest number is 10 more than 65.

The smallest number is 10 less that 50.

Choose a number for each empty box.

Colour even numbers .   Colour odd numbers .

1	2	3	4	5
6	7	8	9	10
11	12	13	14	15
16	17	18	19	20
21	22	23	24	25
26	27	28	29	30

9	10	11	12
13	14	15	16
17	18	19	20
21	22	23	24
25	26	27	28
29	30	31	32

Write the missing numbers.

4   6   8   __   __   14   __

7   9   11   __   __   __   __

18   16   14   __   10   __   __

29   27   25   __   __   __   __

Circle the odd numbers.

(35)   22   25   13
            18
    7   29   36   41

Numbers to 100: odd and even

Count in threes. Colour.

0	1	2	3	4	5	6	7	8	9	10
										11
22	21	20	19	18	17	16	15	14	13	12
23										
24	25	26	27	28	29	30	31	32	33	

Count in fours. Colour.

0	1	2	3	4	5	6	7	8	9
10	11	12	13	14	15	16	17	18	19
20	21	22	23	24	25	26	27	28	29
30	31	32	33	34	35	36	37	38	39

Write the missing numbers.

0   5   10   ___   ___   ___

25   30   35   ___   ___   ___

3   6   9   ___   ___   ___

0   4   8   ___   16   ___

21   18   15   12   ___   ___

28   24   20   ___   ___   ___

How many?

Write the **even** numbers between

Write **two** numbers between

Write numbers between

Write the number halfway between

10 and 20 → ☐

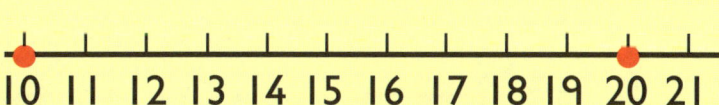

19 and 23 → ☐

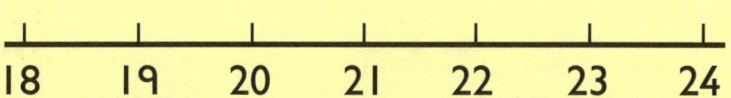

26 and 34 → ☐

31 and 37 → ☐

Numbers to 100: numbers between

Estimate the numbers.

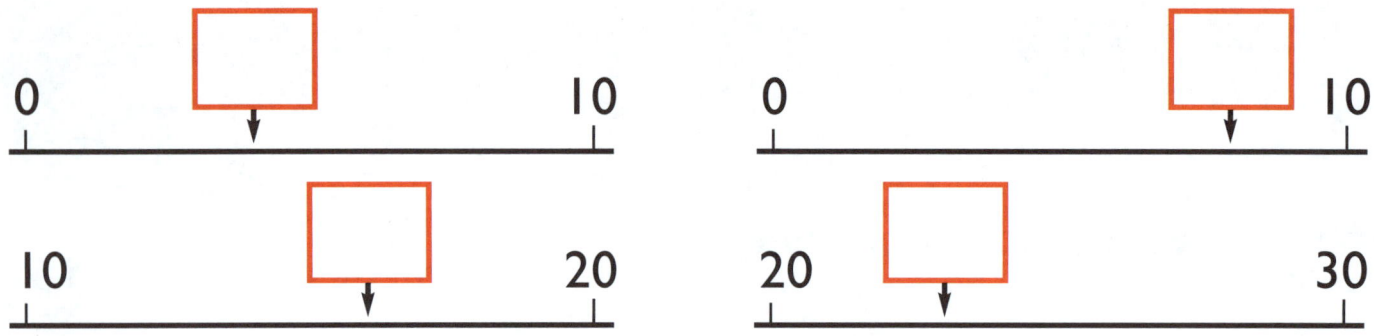

Write numbers on the 🛸.

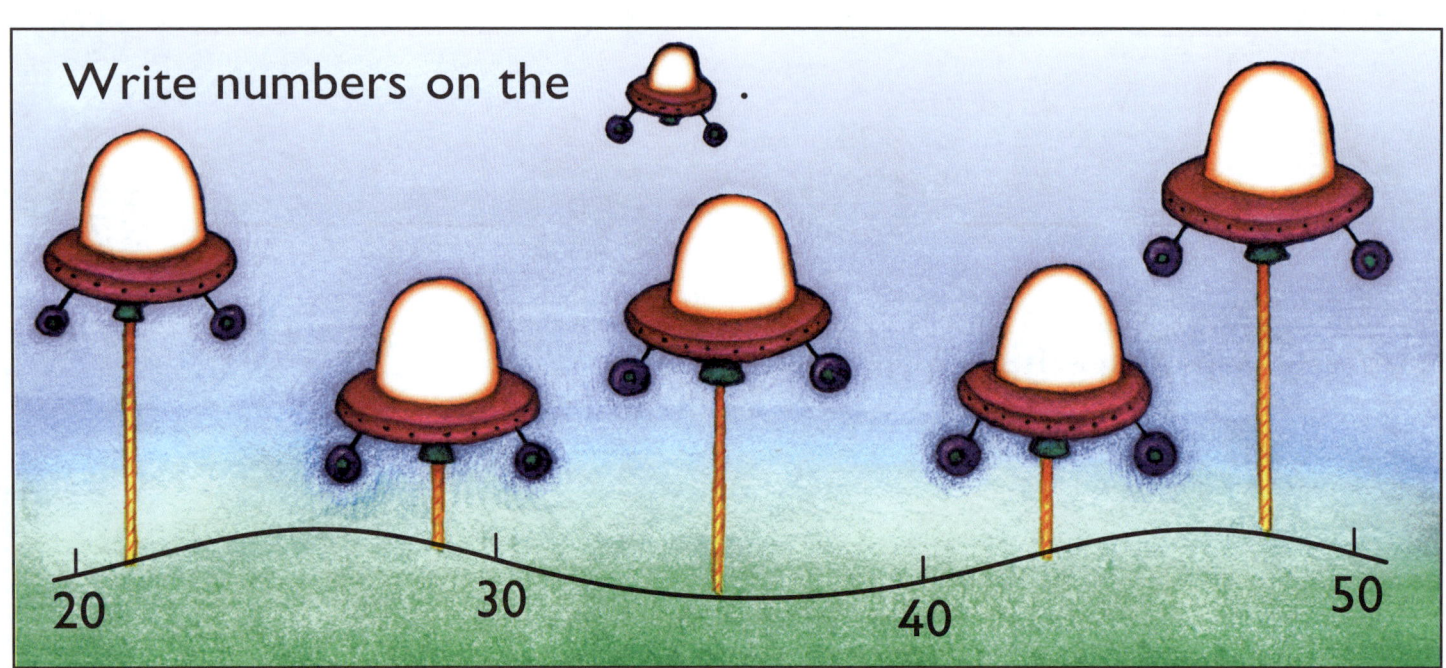

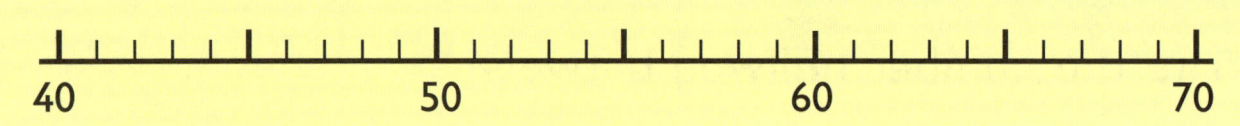

Write to the nearest ten:

53 → ☐   57 → ☐   44 → ☐

66 → ☐   48 → ☐   62 → ☐

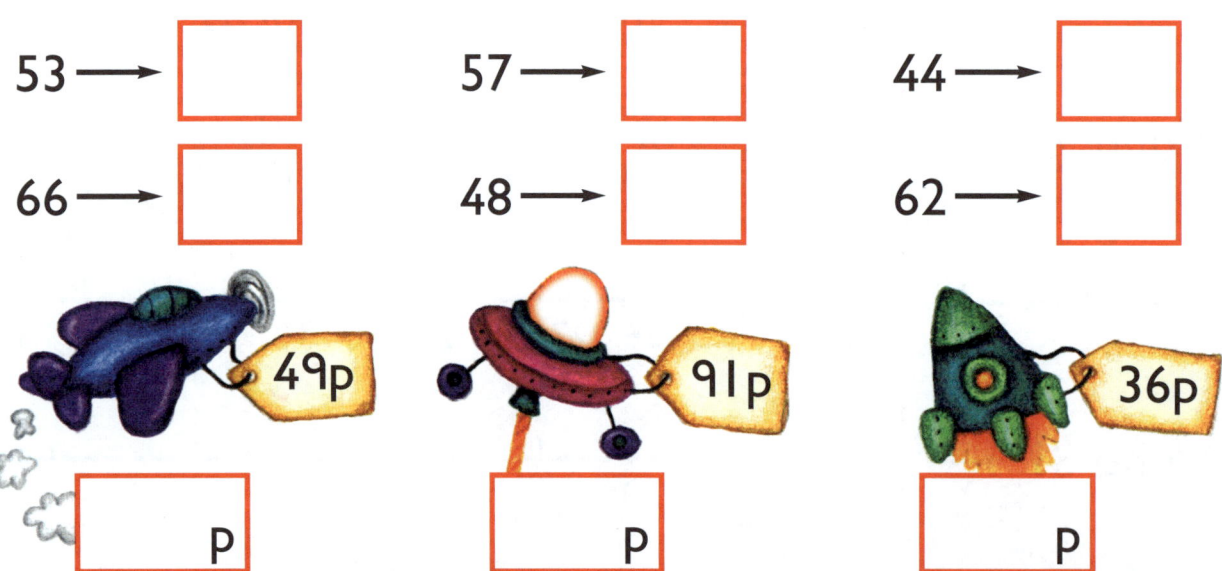

☐ p   ☐ p   ☐ p

Numbers to 100: estimating and rounding

1 Write the missing numbers.

41	42	43							50
			54	55			58	59	
		63			66	67			

2 Write the number

after 89 ☐   before 30 ☐

between 73 and 75 ☐   1 more than 25 ☐

2 more than 39 ☐   2 less than 100 ☐

3 How much altogether? ☐ p

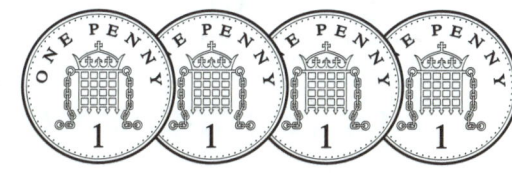

| 64 = 60 + | 38 =   + | 52 =   + |

4 Complete.

10 more than 74 ☐   10 less than 46 ☐

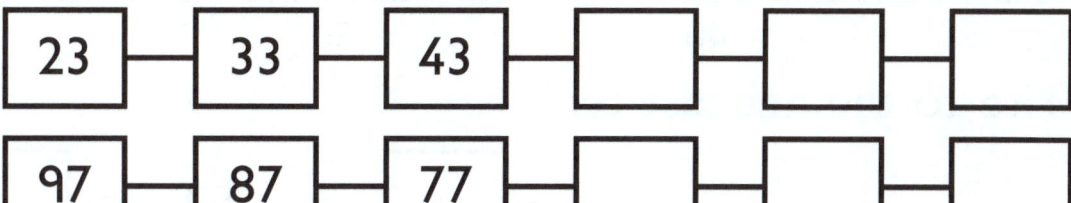

1 Tick (✓)

the **larger** number the **smaller** number the **largest** number

⃝ 85   ⃝ 58   ⃝ 76   ⃝ 67   ⃝ 79   ⃝ 90   ⃝ 82

2 Write the numbers in order.

Start with the **smallest.**
| 66 | 51 | 59 | 63 |

___ ___ ___ ___

Start with the **largest.**
| 77 | 80 | 84 | 78 |

___ ___ ___ ___

3 Write the missing numbers.

3   6   9   ___   ___   ___   21   ___

0   4   8   ___   ___   20   ___   ___

35   30   25   ___   ___   ___   5   ___

Tick (✓) the **even** numbers.

36   5   18   44   27   2

4 Write the number **halfway** between

18 and 24 → ☐   18 19 20 21 22 23 24

5

30   40   50   60

Write to the nearest ten.

38 → ☐   52 → ☐

Numbers to 100: assessment

Complete.

97 98 99 __ __ __ __

700 701 702 __ __ __ __

346 347 __ 349 __ __ __

595 596 597 __ __ __ __

105 104 103 __ __ __ __

474 473 __ 471 __ __ __

800 __ __ 797 796 __ __

513 512 511 __ __ __ __

Write the number

after 222 ☐   after 300 ☐   after 109 ☐   after 199 ☐

before 306 ☐   before 440 ☐   before 501 ☐   before 900 ☐

between 639 and 641 ☐   between 299 and 301 ☐

Numbers to 1000: sequences

19

Complete.

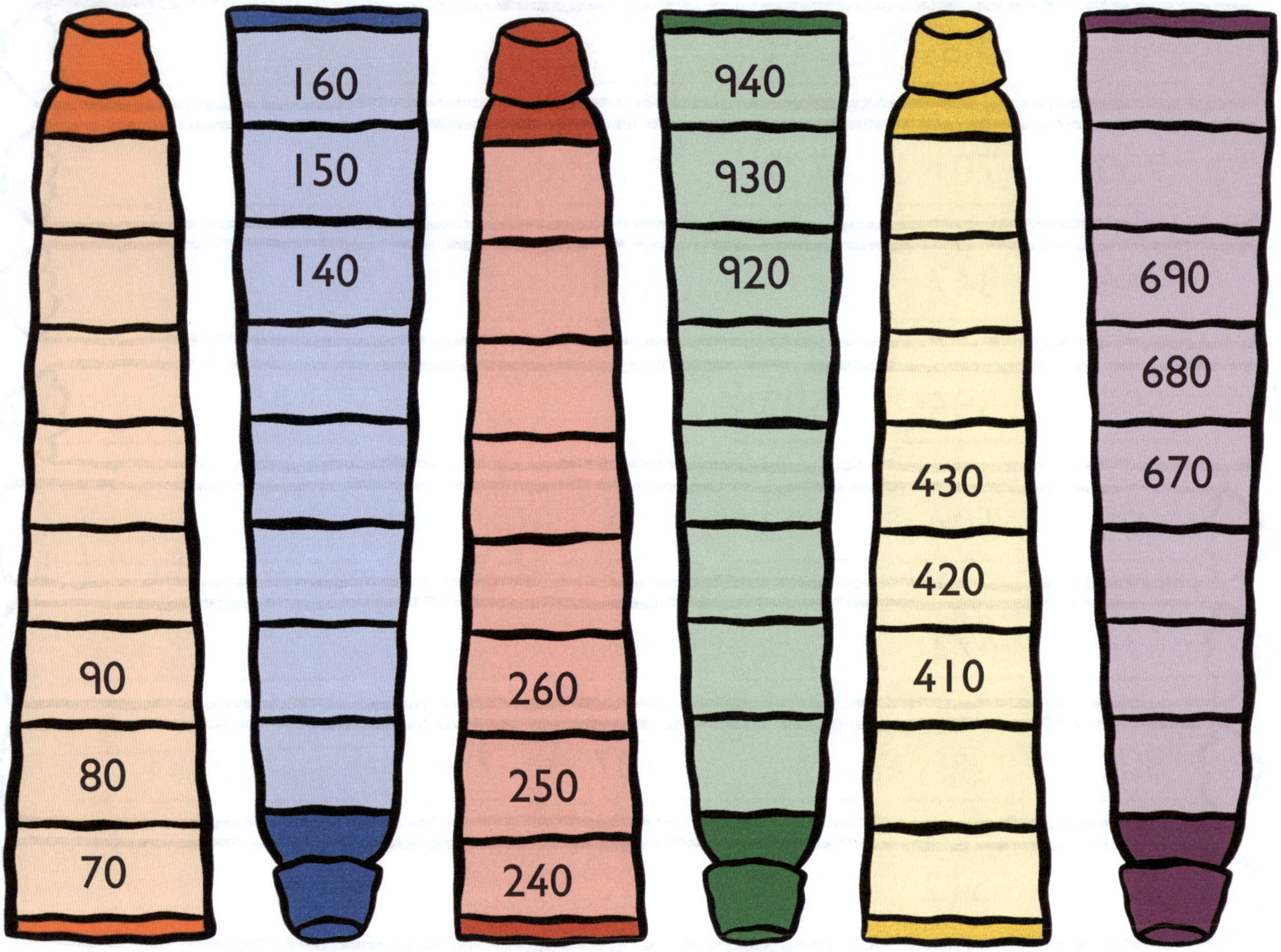

	160		940		
	150		930		690
	140		920		680
				430	670
				420	
90		260		410	
80		250			
70		240			

Write the number
ten **more** than

550 ☐   200 ☐   890 ☐

ten **less** than

220 ☐   910 ☐   400 ☐

Numbers to 1000: sequences

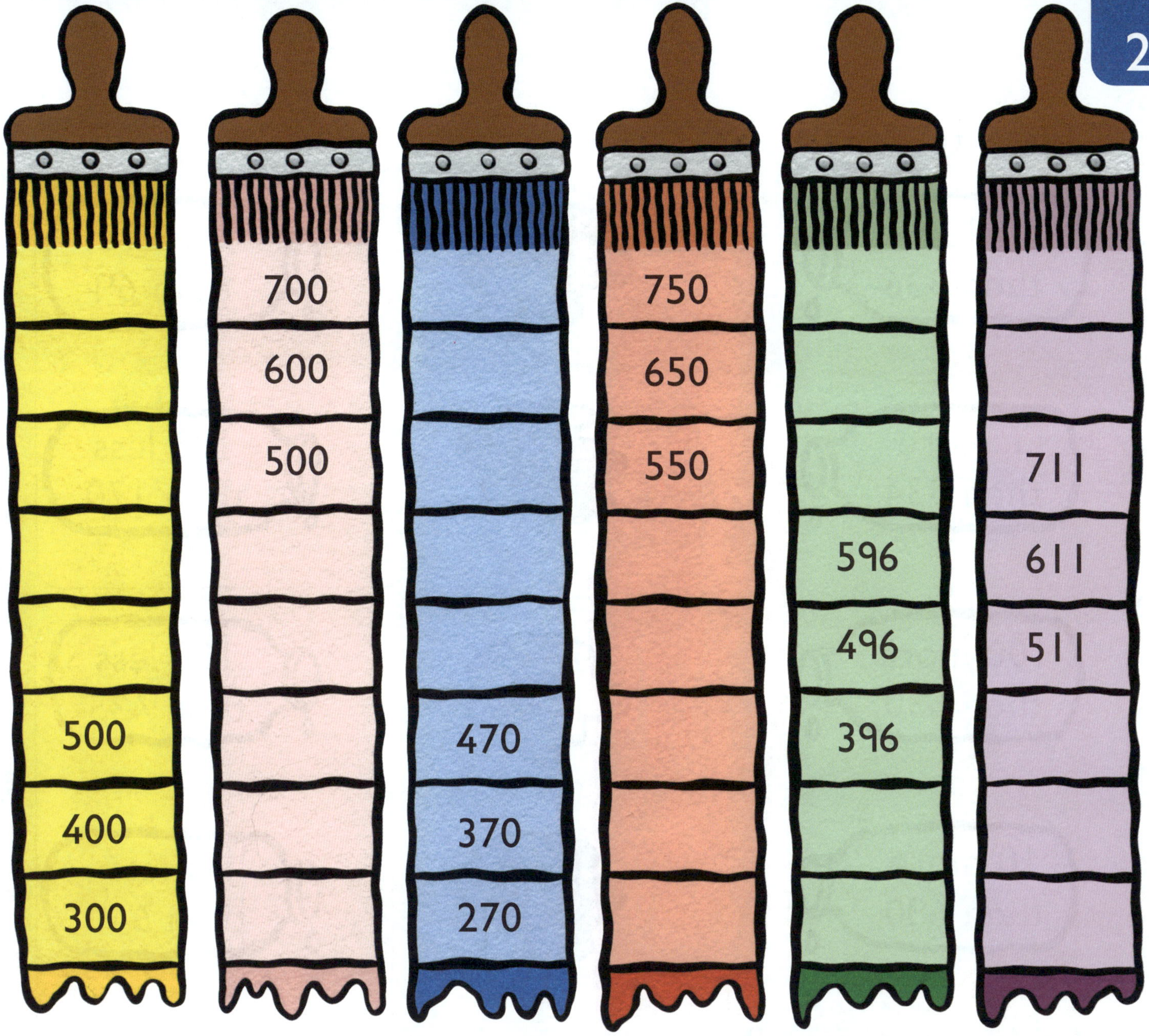

	700		750		
	600		650		
	500		550		711
				596	611
		470		496	511
500		370		396	
400		270			
300					

Write the number

one hundred **more** than

202 ☐   630 ☐   900 ☐

one hundred **less** than

444 ☐   220 ☐   1000 ☐

Numbers to 1000: sequences

21

Colour to match.

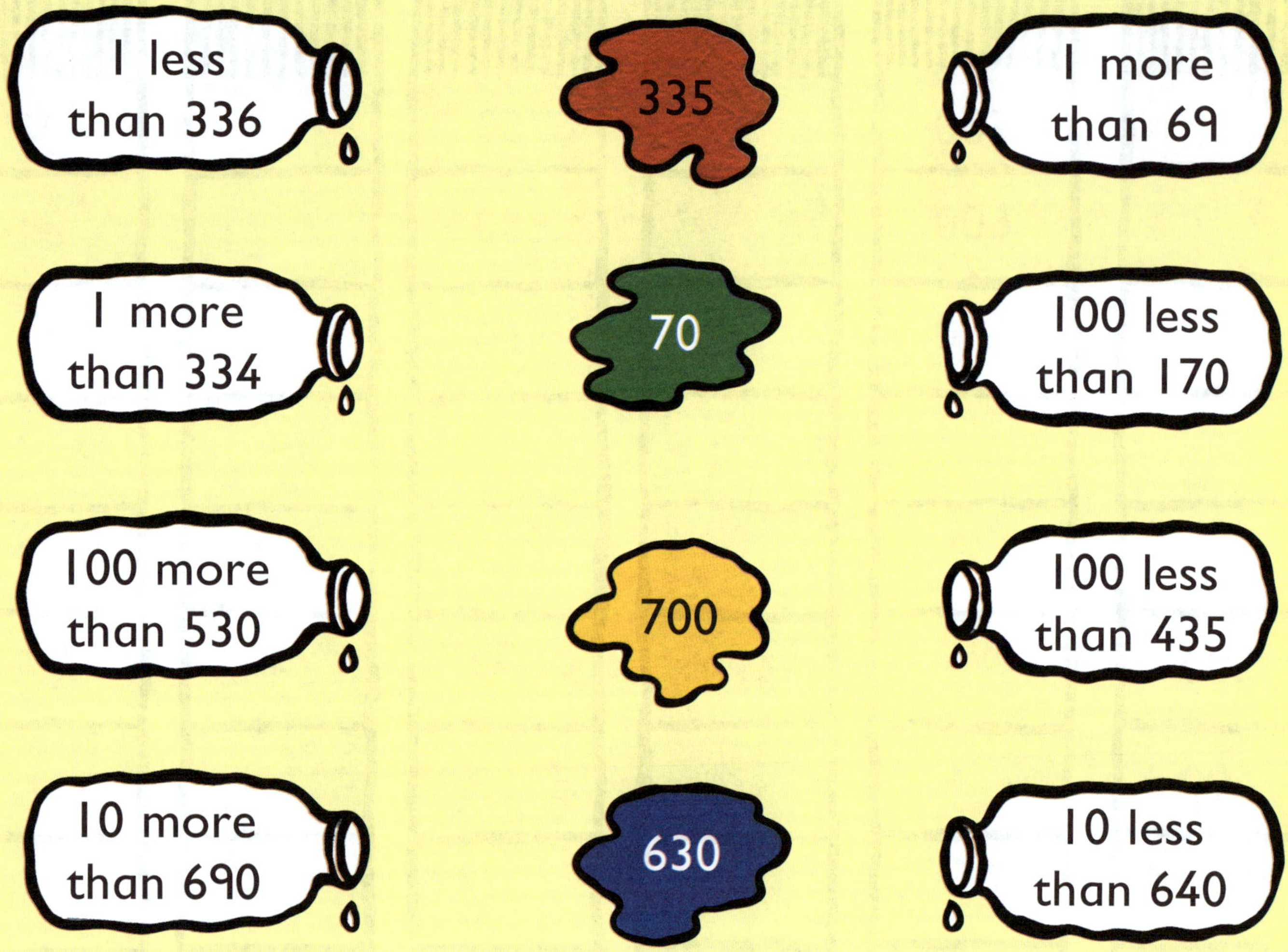

- 1 less than 336 — 335
- 1 more than 69 — 70
- 1 more than 334 — 335
- 100 less than 170 — 70
- 100 more than 530 — 630
- 100 less than 435 — 335
- 10 more than 690 — 700
- 10 less than 640 — 630

Match.

Numbers to 1000: ordering

Colour the **smaller** number red.
Colour the **larger** number green.

Use ⬚5 ⬚4 ⬚6 . Write a number

larger than 600 _____   **smaller** than 460. _____

Colour the **smallest** number red.
Colour the **largest** number green.

Who has the **largest** number? _____

Who has the **smallest** number? _____

Numbers to 1000: comparing

Write the numbers in order.

Start with the **smallest**.

267 189 345 263

_____

Start with the **largest**.

694 839 793 849

_____

Use 5 8 2 to make different 3-digit numbers.

_____

Write your numbers in order. Start with the **smallest**.

_____

Write **two** numbers between

740 ____ ____ 760

305 ____ ____ 315

0 100 200 300 400 500 600 700 800 900 1000

Write the number halfway between

300 and 400 ☐   100 and 200 ☐   600 and 700 ☐

900 and 1000 ☐   450 and 550 ☐   850 and 950 ☐

Numbers to 1000: ordering

1

Write the missing numbers.

21	22				26	27			30
	32	33					38		
41	42					47	48		
		53	54					59	60
			64	65			68		
71					76	77			
	82	83	84					89	
		93		95			98		

Colour red the number

| after 31 | after 84 | after 50 | after 99 |

Colour blue the number

| before 27 | before 100 | before 69 | before 41 |

Colour green the number

| between 43 and 45 | between 59 and 61 |

Colour yellow all the numbers

| between 56 and 60 | between 88 and 93 |

Numbers to 100: sequences

Write the number after

Write the number before

Write the number between

 22 and 24   96 and 98    80 and 82   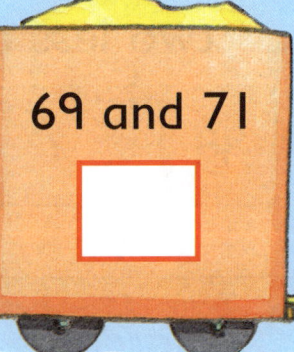 69 and 71

Write the missing numbers.

24	25	26							
							63	64	65
			71	72	73				
		94	95	96					

Numbers to 100: after, before, between

3

Write the number

one more than

| 25 | | 40 | | 37 | | 49 | |

two more than

| 72 | | 53 | | 89 | | 98 | |

one less than

| 81 | | 44 | | 32 | | 100 | |

two less than

| 99 | | 72 | | 50 | | 61 | |

Match.

1 less than 40   2 more than 29   2 less than 91

31   39   89   98   100

1 more than 88   2 less than 100   2 more than 98

Numbers to 100: 1 or 2 more/less

HOME ACTIVITY 12

How many?

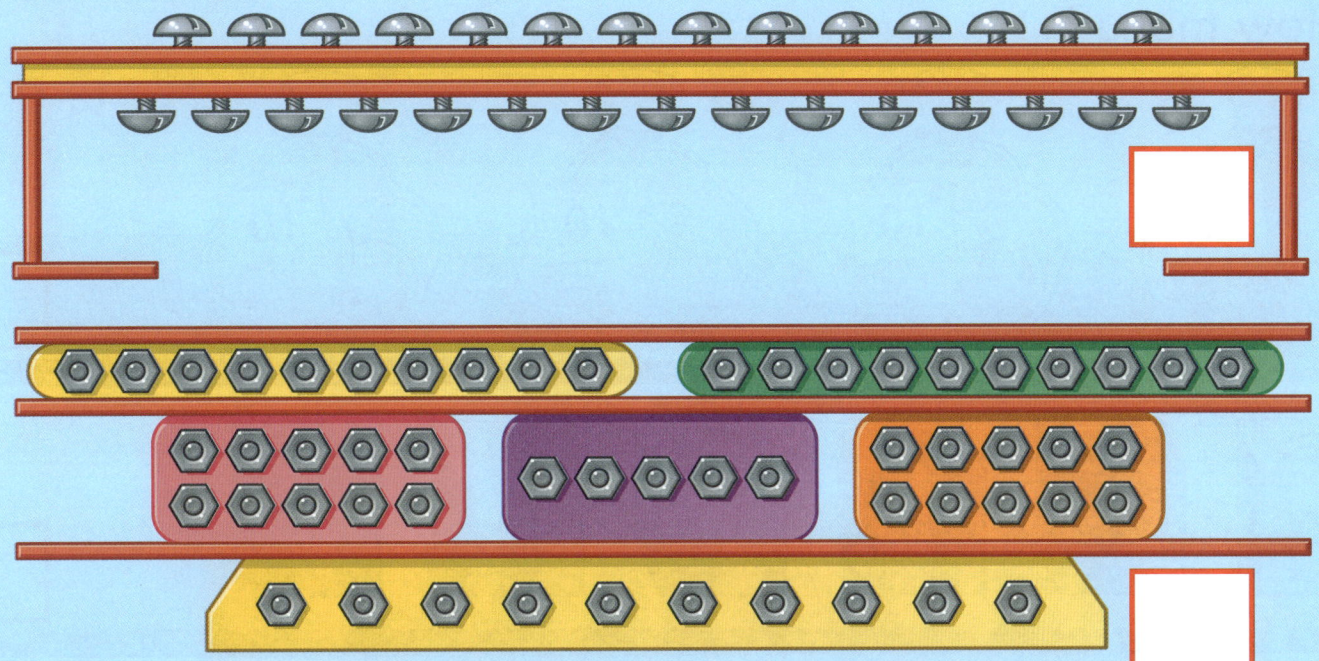

Draw 33 🖊.

Make 46.

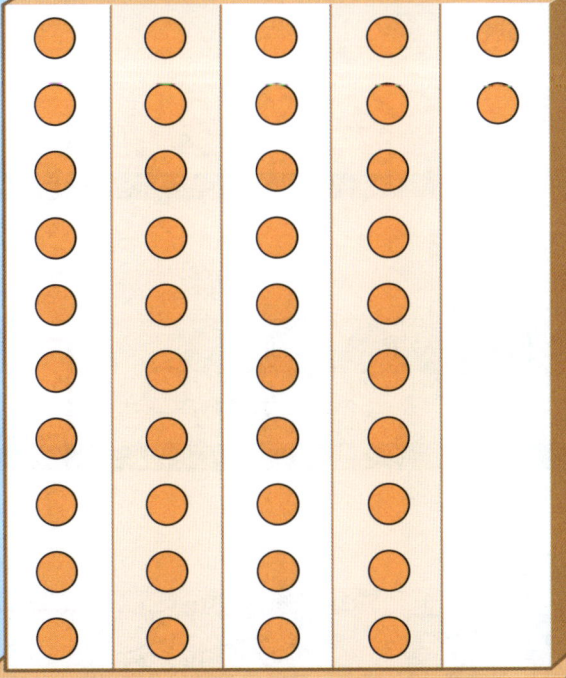

Make 54.

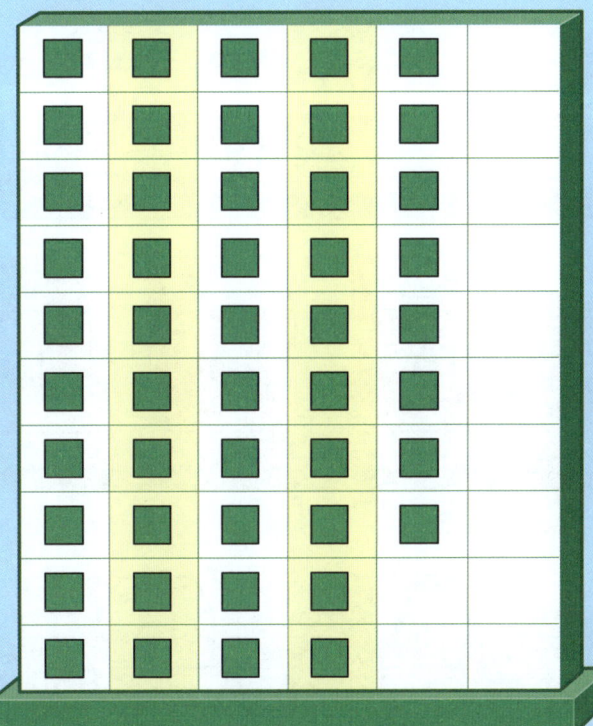

Numbers to 100: counting in ones

How much altogether?

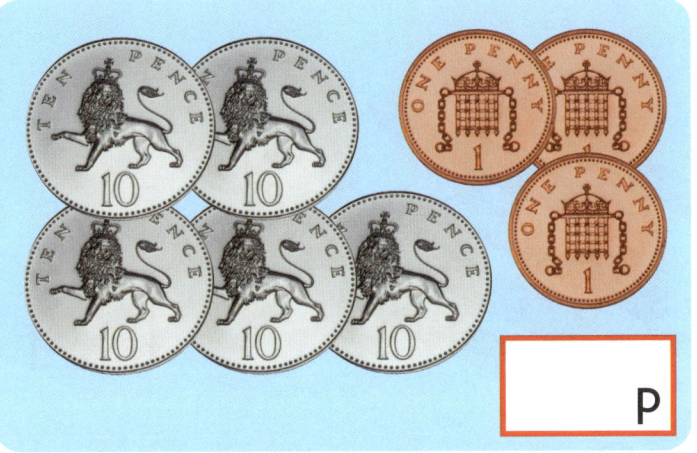
         p

         p

         p

Use 10p and 1p coins. Complete.

60p and 8p

____ and ____

____ and ____

____ and ____

____ and ____

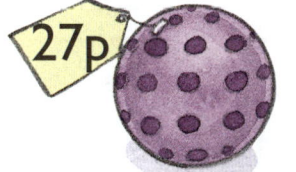
____ and ____

____ and ____

____ and ____

Numbers to 100: place value

7

How many altogether?

  ☐

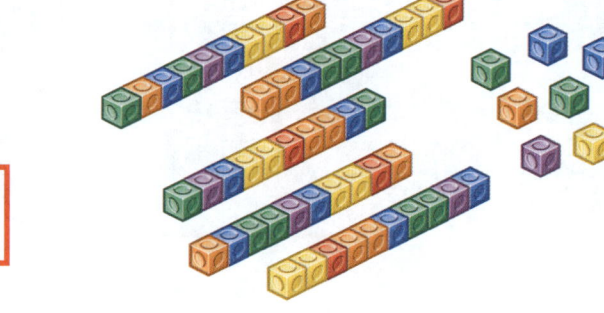  ☐

   ☐

   ☐

forty-nine

49 = 40 + 9

25 = ☐ + ☐	58 = ☐ + ☐	74 = ☐ + ☐
86 = ☐ + ☐	23 = ☐ + ☐	41 = ☐ + ☐
33 = ☐ + ☐	72 = ☐ + ☐	97 = ☐ + ☐

Colour to match.

| 80 and 4 | 62 | 46 | 60 + 2 |
| 99 | 40 and 6 | 90 + 9 | 84 |

Numbers to 100: place value

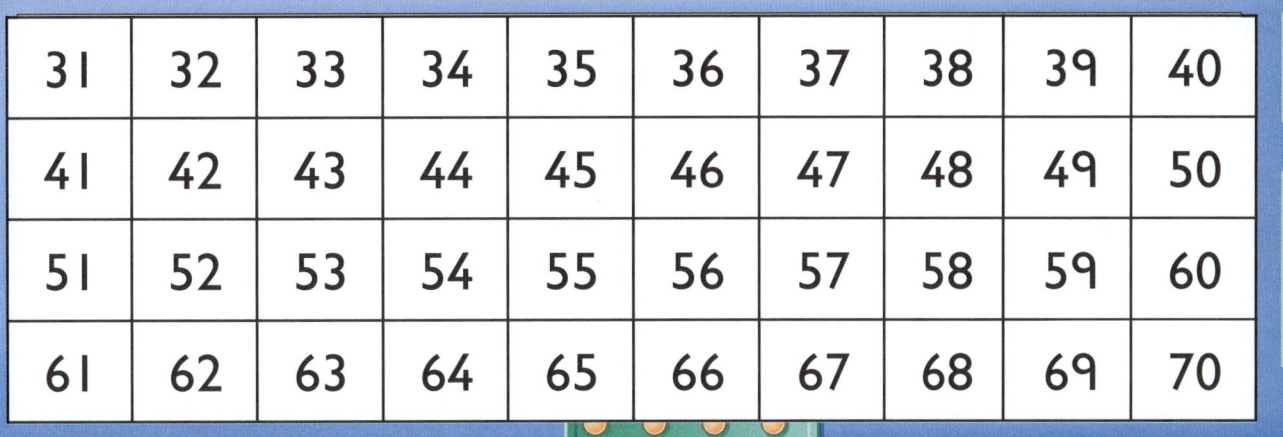

Colour red 10 more than

35   58   44   60   36   53   47   51

Colour yellow 10 less than

65   42   48   57   43   66   54   49

Complete.

20 and 10 more is ◯ and 10 more is ◯

46 +10 ☐ +10 ☐ +10 ☐ +10 ☐

77 and 10 less is ◯ and 10 less is ◯

69 −10 ☐ −10 ☐ −10 ☐ −10 ☐

| 22 | 32 | 42 | | | | | |
| 15 | 25 | 35 | | | | | |

| 96 | 86 | 76 | | | | | |
| 81 | 71 | 61 | | | | | |

Colour the **larger** number red.

36 72   63 47   91 93

Colour the **smaller** number blue.

23 45   81 69   76 75

Use 6 and 5. Write a number

larger than 60 _____   **smaller** than 60. _____

Colour the **largest** number red.
Colour the **smallest** number blue.

46 62 54

78 93 84

23 21 24

Write more numbers.

40 is the middle number.

55 is the largest number.

Write in order.

| 42 | | | |

| 13 | | | |

| 66 | | | |

| 100 | | | |

Write in order.

Start with the **largest** number.

Start with the **smallest** number.

smallest | | | 62 | | | largest

The largest number is 10 more than 65.

The smallest number is 10 less that 50.

Choose a number for each empty box.

Colour even numbers .   Colour odd numbers .

1	2	3	4	5
6	7	8	9	10
11	12	13	14	15
16	17	18	19	20
21	22	23	24	25
26	27	28	29	30

9	10	11	12
13	14	15	16
17	18	19	20
21	22	23	24
25	26	27	28
29	30	31	32

Write the missing numbers.

4   6   8   __   __   14   __

7   9   11   __   __   __   __

18   16   14   __   10   __   __

29   27   25   __   __   __   __

Circle the odd numbers.

㉟   22   7   29   18   25   36   13   41

Count in threes. Colour.

0	1	2	3	4	5	6	7	8	9	10
										11
22	21	20	19	18	17	16	15	14	13	12
23										
24	25	26	27	28	29	30	31	32	33	

Count in fours. Colour.

0	1	2	3	4	5	6	7	8	9
10	11	12	13	14	15	16	17	18	19
20	21	22	23	24	25	26	27	28	29
30	31	32	33	34	35	36	37	38	39

Write the missing numbers.

0   5   10   ___   ___   ___

25   30   35   ___   ___   ___

3   6   9   ___   ___   ___   ___

0   4   8   ___   16   ___

21   18   15   12   ___   ___   ___

28   24   20   ___   ___   ___

How many?

Numbers to 100: counting in threes, fours and fives

Write the **even** numbers between

Write **two** numbers between

Write numbers between

Write the number halfway between

10 and 20 → ☐

19 and 23 → ☐

26 and 34 → ☐

31 and 37 → ☐

Numbers to 100: numbers between

Estimate the numbers.

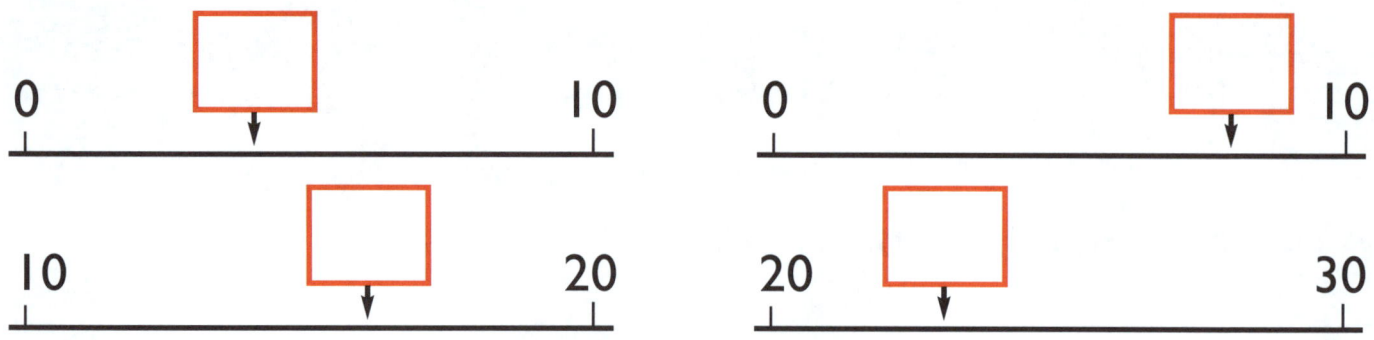

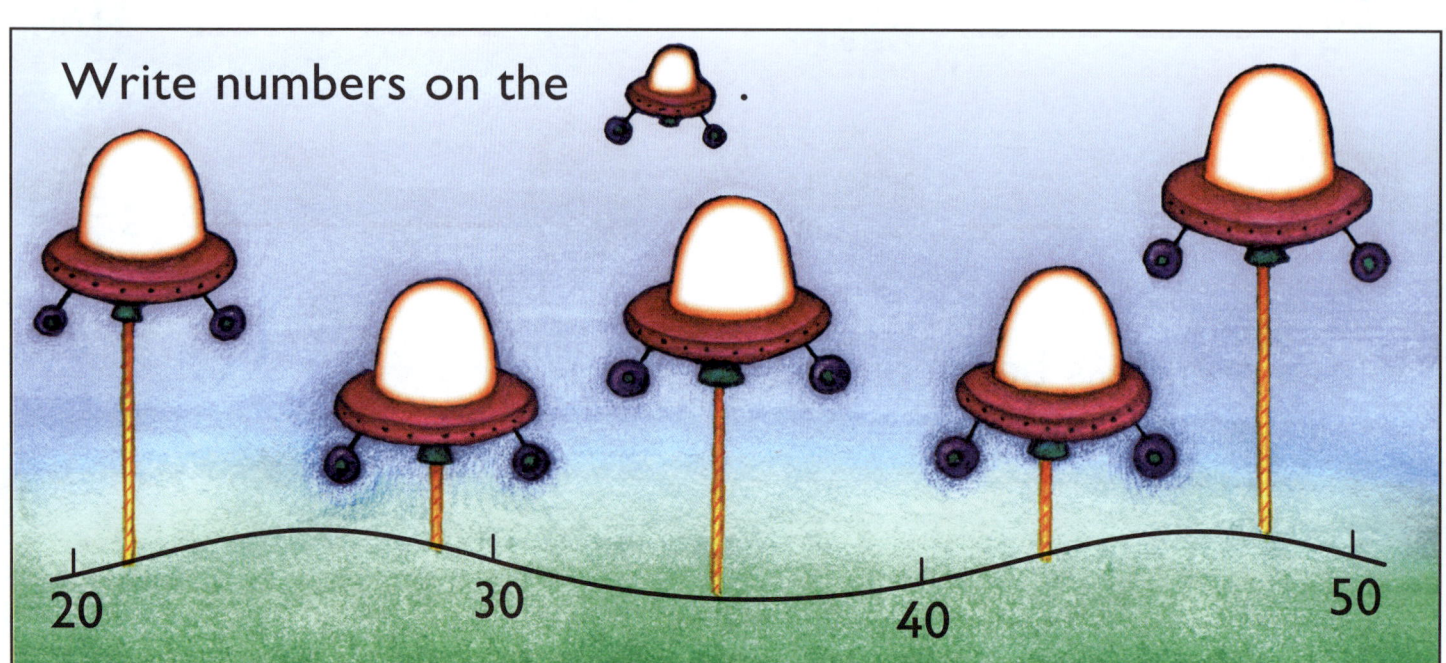

Write to the nearest ten:

53 → ☐   57 → ☐   44 → ☐

66 → ☐   48 → ☐   62 → ☐

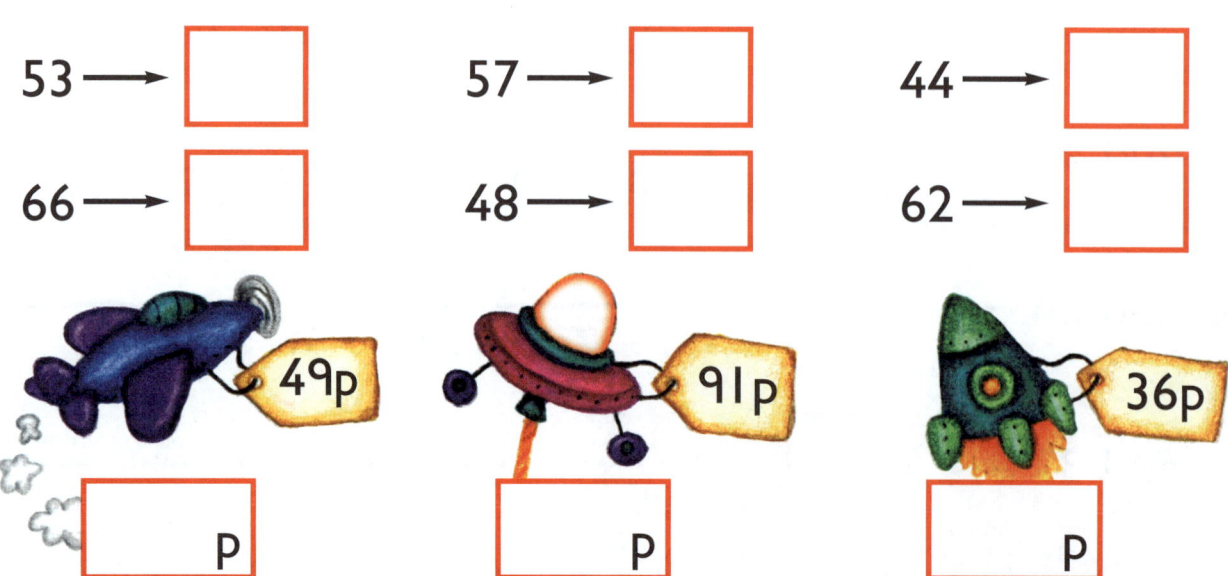

☐ p   ☐ p   ☐ p

Numbers to 100: estimating and rounding

1 Write the missing numbers.

41	42	43							50
			54	55			58	59	
		63			66	67			

2 Write the number

after 89 ☐   before 30 ☐

between 73 and 75 ☐   1 more than 25 ☐

2 more than 39 ☐   2 less than 100 ☐

3 How much altogether? ☐ p

 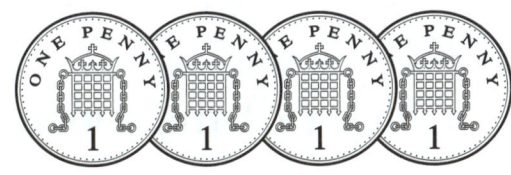

64 = 60 +   38 =   +   52 =   +

4 Complete.

10 more than 74 ☐   10 less than 46 ☐

23 — 33 — 43 — ☐ — ☐ — ☐

97 — 87 — 77 — ☐ — ☐ — ☐

Numbers to 100: assessment

17

1 Tick (✓)

the **larger** number   the **smaller** number   the **largest** number

(85) (58)   (76) (67)   (79) (90) (82)

2 Write the numbers in order.

Start with the **smallest**.
66 51 59 63

___ ___ ___ ___

Start with the **largest**.
77 80 84 78

___ ___ ___ ___

3 Write the missing numbers.

3   6   9   ___   ___   21   ___

0   4   8   ___   20   ___   ___

35   30   25   ___   ___   5   ___

Tick (✓) the **even** numbers.

36   5   18   44   27   2

4 Write the number **halfway** between

18 and 24 → ☐   18 19 20 21 22 23 24

5

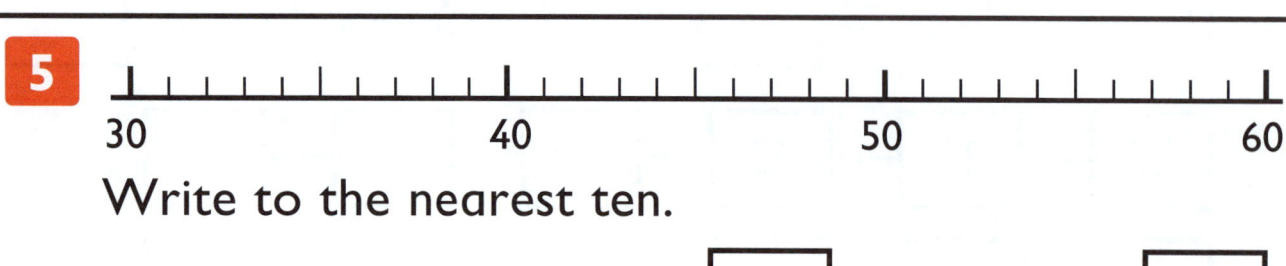

30   40   50   60

Write to the nearest ten.

38 → ☐   52 → ☐

Numbers to 100: assessment

Complete.

97 98 99 ___ ___ ___ ___ ___

700 701 702 ___ ___ ___ ___ ___

346 347 ___ 349 ___ ___ ___ ___

595 596 597 ___ ___ ___ ___ ___

105 104 103 ___ ___ ___ ___ ___

474 473 ___ 471 ___ ___ ___ ___

800 ___ ___ 797 796 ___ ___ ___

513 512 511 ___ ___ ___ ___ ___

Write the number

after 222 ☐   after 300 ☐   after 109 ☐   after 199 ☐

before 306 ☐   before 440 ☐   before 501 ☐   before 900 ☐

between 639 and 641 ☐   between 299 and 301 ☐

Numbers to 1000: sequences

19 Complete.

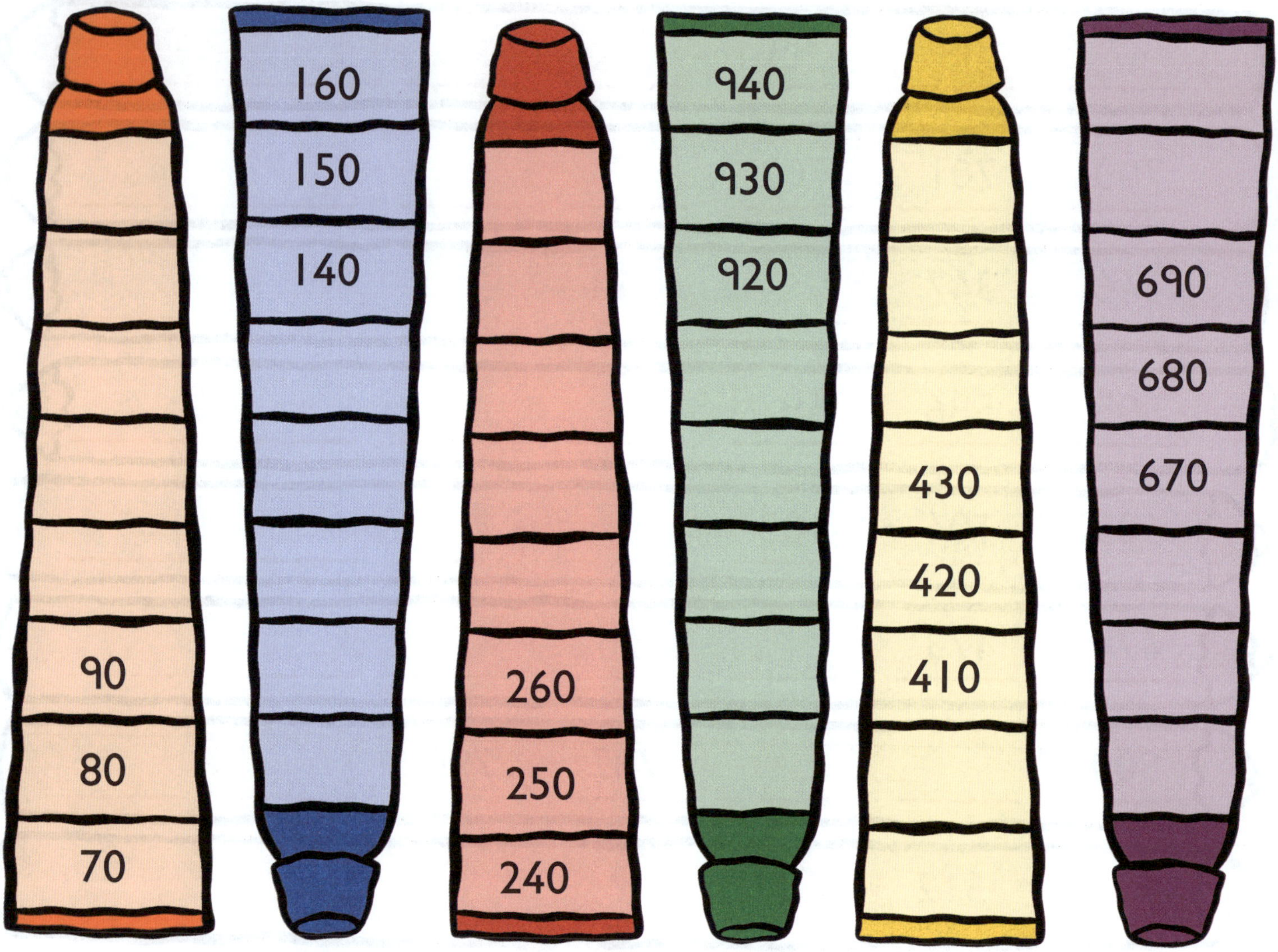

	160		940		
	150		930		690
	140		920		680
				430	670
		260		420	
90		250		410	
80		240			
70					

Write the number ten **more** than

550 ☐   200 ☐   890 ☐

ten **less** than

220 ☐   910 ☐   400 ☐

Numbers to 1000: sequences

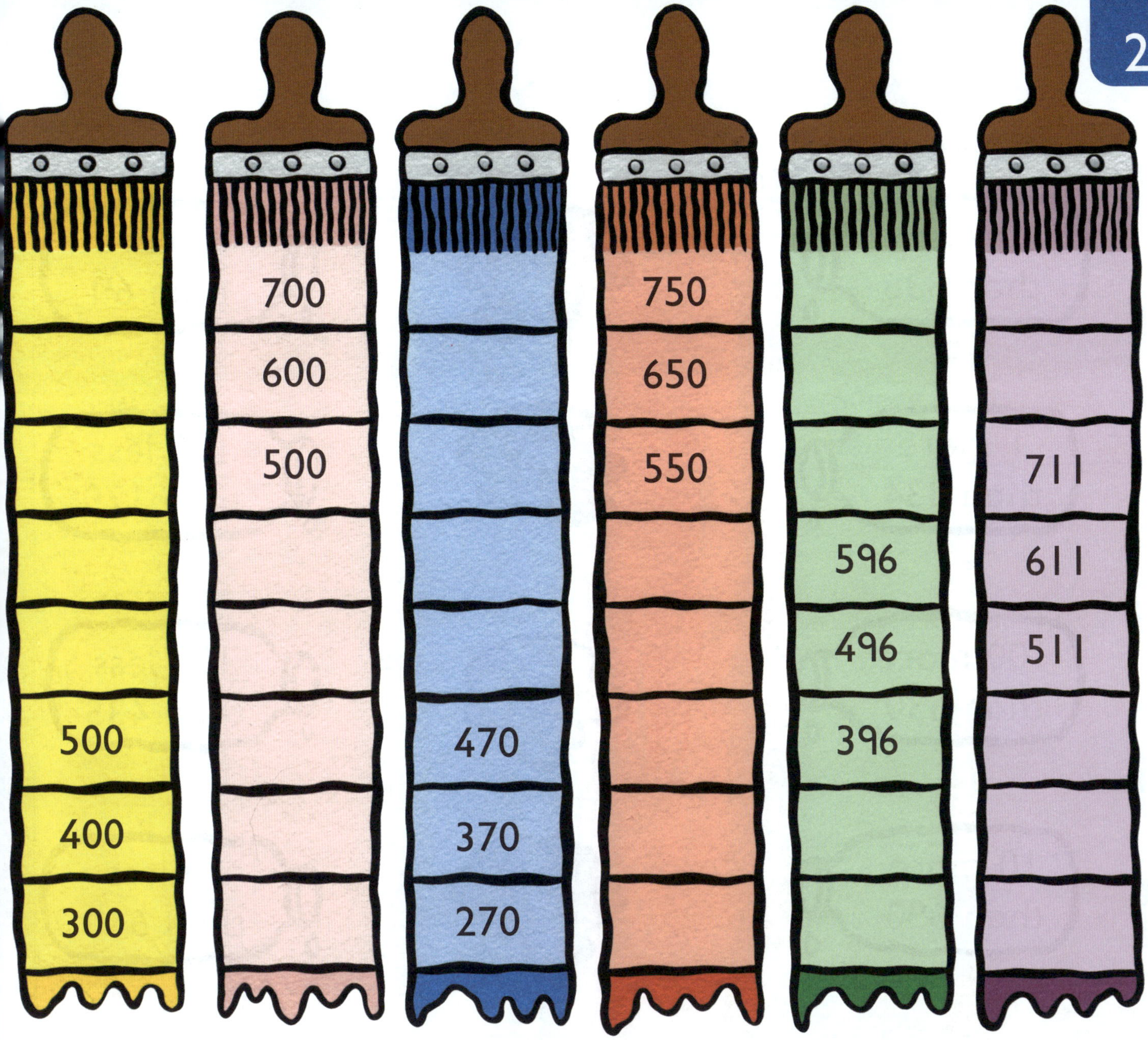

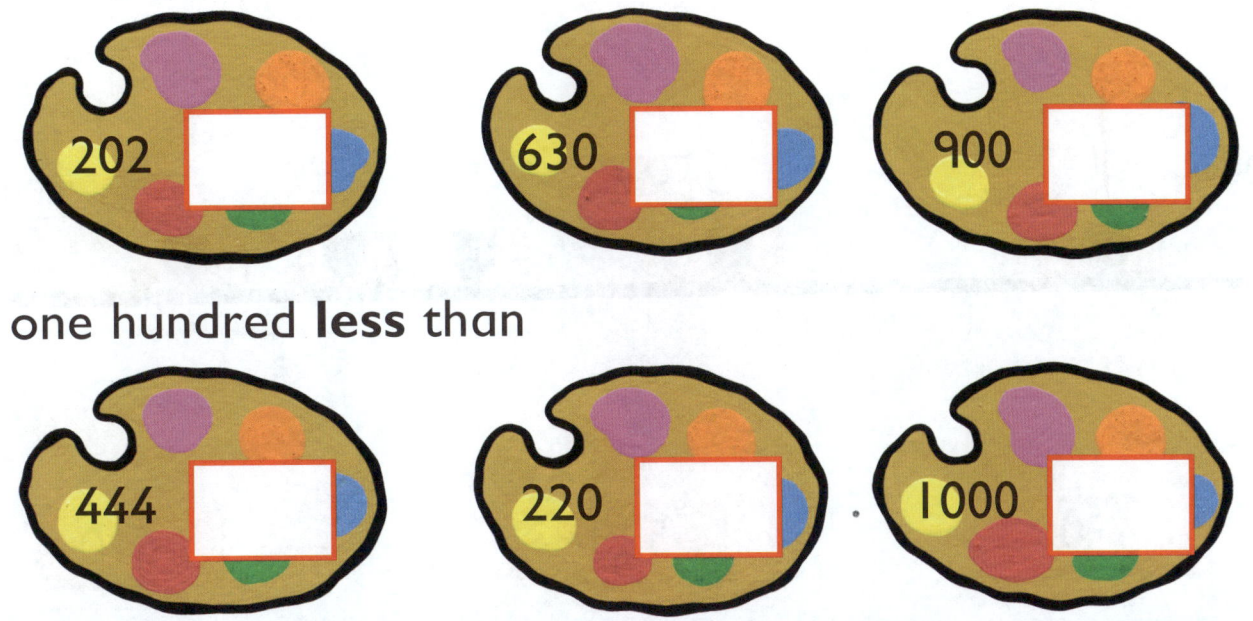

Write the number

one hundred **more** than

202 ☐   630 ☐   900 ☐

one hundred **less** than

444 ☐   220 ☐   1000 ☐

Numbers to 1000: sequences

21

Colour to match.

- 1 less than 336 — 335
- 1 more than 69 — 70
- 1 more than 334 — 335
- 100 less than 170 — 70
- 100 more than 530 — 630
- 100 less than 435 — 335
- 10 more than 690 — 700
- 10 less than 640 — 630

Match.

Numbers to 1000: ordering

Colour the **smaller** number red.
Colour the **larger** number green.

Use ⬜5 ⬜4 ⬜6 . Write a number

larger than 600 _____   **smaller** than 460. _____

Colour the **smallest** number red.
Colour the **largest** number green.

Who has the **largest** number? _____

Who has the **smallest** number? _____

Numbers to 1000: comparing

Write the numbers in order.

Start with the **smallest.**
267 189 345 263
_____

Start with the **largest.**
694 839 793 849
_____

Use 5 8 2 to make different 3-digit numbers.

_____

Write your numbers in order. Start with the **smallest.**

_____

Write **two** numbers between

740 _____ _____ 760

305 _____ _____ 315

0 100 200 300 400 500 600 700 800 900 1000

Write the number halfway between

300 and 400 ☐   100 and 200 ☐   600 and 700 ☐

900 and 1000 ☐   450 and 550 ☐   850 and 950 ☐

Numbers to 1000: ordering